やっかいな
放射線と
向き合って
暮らして
いくための
基礎知識

田崎晴明 著
Hal Tasaki

朝日出版社

基礎知識
はじめての
暮らして
向き合って
放射線と
やさしい

田ノ岡宏 著
Hiroshi Tanooka

丸善出版

普通ではない 15 ヶ月間を過ごしてきたすべての人へ
―― 敬意と感謝と言葉にできない思いをこめて

本書のインターネット版は事故からちょうど 15 ヶ月目の 2012 年 6 月 11 日に公開された。

■ **この本って?** これは、放射線や放射性物質に日常的に直面しながら暮らしている人——つまり、日本(特に東日本)の多くの人たち——が知っておいたほうがいい、放射線についての基礎知識を、できるかぎり短く、正確に、そして、わかりやすく解説した本である。進んだ予備知識がなくても読めるように書いたつもりなので、中学生以上なら(かなりの部分を)読みこなせると思う。

なるべく多くの人に読んでもらいたいので、この本とまったく同じ内容のファイルをインターネットで無償で公開している[*1]。ただし、「無料で配っている」といっても、中身では、書店に並んでいる他の本(の優れたもの)にも負けないつもりだ。

特に、内容の正確さについてはかなりの自信がある。放射線についての話は広い範囲におよぶので、ある分野の専門家でも、専門から離れたところになるとコロッとまちがいを書いてしまっているのを見かける。ぼくは——さっさと白状するけれど——どこについても専門家ではないので、逆に、すべての部分で慎重になって、まちがいを書かないよう徹底的に気を使ったつもりだ[*2]。

あと、もう一つ大事なこと。

この本は、「安全だよ。安心してください」と言うために書いたのではないし、「危険だ。心配しなくてはいけない!」と言うために書いたのでもない。

ただ、放射線や原子力について知っておいたほうがいい(とぼくが判断した)基礎知識を説明し、それから、「放射線はどれくらい体に悪いのか」ということについて何がわかっているかを丁寧に解説した。

そして、よくわからないことについては、「わからない」とはっきり書いた。何がどのくらい「わからない」のかをみんなが知って、その上で、これからどうするかを自分で考えていくのが一番だと信じているからだ。

これは、そういう本です。

[*1] http://www.gakushuin.ac.jp/~881791/radbookbasic/
この本への訂正等があれば、同じページで報告するつもりです。
[*2] インターネット版の公開以来、様々な分野の専門家を含む多くの人が適切なコメントをしてくれたおかげで、この本はより正確で読みやすくなった。

■ **web 上の解説のこと**　ぼくは、2011 年 6 月から、「放射線と原子力発電所事故についてのできるだけ短くてわかりやすくて正確な解説」という（長い）タイトルの解説を web 上に公開している[*3]。最初は、メインの 6 つのページを集めただけの（ちょっと長目とはいえ）手頃な解説だったのだが、ぼく自身がいろいろなことを学ぶにつれ、どんどんと詳しい解説も増えていった。今では、中学生に読める（はずの）初歩的なページから、かなりマニアックで手強い文書まで、様々なものが入り交じった、ぜんぜん「短く」ない解説ページ群になっている。

ただし、この本を書くにあたっては、web 上の解説のことはいったん忘れて、「事故から 1 年以上が経った今の日本で、多くの人が知っているべきことは何だろうか」とゼロから考え直した[*4]。その上で、以前に書いた解説の中で利用できる部分は利用することにしたのだけれど、けっきょく、大部分は新たに書くことになった。

■ **この本の読み方**　ずいぶんと悩んで、本当に大切だと思う話題だけを取り上げた。それでも、一つ一つの話についてわかりやすく説明しようと心がけたので、けっきょく、ご覧のように、けっこう長い本になってしまった。

最初から順番に読んでいただくのがベストだけれど、気のむいたところから読み始めたり、途中めんどうなところは読み飛ばしても大丈夫だと思う[*5]。目次と索引がかなり充実しているので、読み進めるときの道標にしてほしい。

みなさんよくご存知だと思うけれど、普通の本（特に新書なんか）には、本の真面目なテーマとは関係のない「軽い話」が混ぜてあることが多い。読者が途中で読むのをやめないよう引きつけ、本をたくさん売るための作戦なんだと思う（それに、ページ数も楽に増やせる）。

[*3] http://www.gakushuin.ac.jp/~881791/housha/
[*4] 放射線についての一般向けの講演をするチャンスが何回かあり、その準備のプロセス、講演会の主催者や参加者とのやりとりの中でも、そういうことを考え直した。
[*5] あと、この本には（今、読んでいるこれみたいな）脚注がやたらと多い。正確さに気を使ったからそうなったのだけれど、最初に気楽に読むときには脚注は気にしないで無視していいと思う。

この本の場合は、放射線のことをしっかりと知りたいと思っている人に読んでもらうために書いているので、そういう「作戦」は使っていない。ほとんど大事なことだけが、びっしりと書いてある。そういう意味では、普通の本と比べると濃密で、読んでいて疲れると思う。無理をしないで少しずつ読んでください。

■ **参考文献など**　この本を書くにあたって、他人の書いた解説などからの「孫引き」はしないことを心がけた[*6]。特に、放射線防護や放射線対策に関連する内容については、ICRP（国際放射線防護委員会）や IAEA（国際原子力機関）などの公式文書をつねに参照した[*7]。また、放射線の健康影響については、上に挙げた文書にくわえて、いくつかの評価の高いレビュー論文（学術誌に掲載される「まとめ」的な論文）を参照した。これらの内のいくつかは、念のため脚注に論文情報を明記しておいた。

さらにいくつかの話題については、ぼくが web 上に書いた（より詳しい）解説へのリンクを脚注に示した。web 上の解説には参照すべき文献も挙げてある。

■ **謝辞**　放射線に関してはまったく専門外のぼくが、この本（や web 上の解説）に書いた内容を学ぶにあたっては、実に多くの方のお世話になった。特に、web に解説を書いてからは、日本中の、ほとんどはお会いしたことのない人たちから様々なアドバイスをいただき、多くのことを教えてもらった。また、この本にも（いろいろな関連分野の専門家を含む）数多くの人たちが様々な有益なコメントをしてくれた[*8]。

さらに、ぼくの拙くて不十分な「情報発信」を評価して、励ましの言葉を送ってくれた人たちがいたのは、本当に心強いことだった。いろいろと悩むこ

[*6]　事故の後、放射線関連の本がものすごくたくさん出たが、すべてが信頼できるというわけではない。本を出版してお金を出して買ってもらおうというのに、どこかの解説で読んだことや web ページで眺めたことを「うろ覚え」のままに書いてしまうのでは困ったものだと思うのだが（以下、自粛）。

[*7]　本文中では出典を明記しない。主として参照した文書は、ICRP publ. 60, 72, 99, 103, 111, IAEA-TECDOC 1009, 1162, CERRIE report, BEIR VII – Phase 2 である。

[*8]　そうはいっても、この本に不適切な記述や誤りが残っているなら、その責任はすべてぼくにある。

ともあったが、web 上での解説を書き続けられたのはそういう励ましのお陰だし、この本を書くことを決めたのも温かい言葉に後押しされたからだ。

　本来ならそういった人たちのお名前をあげて感謝すべきだと思っている。ただ、放射線の問題はとてもデリケートだし、お世話になった人たち全員がこの本のすべての記述に賛成されるわけでもないだろう。失礼は承知で、敢えてお名前はあげないことにする。

　お力を貸してくださったすべてのみなさんに心から感謝します。ありがとうございました。

　なお、この本のタイトル「やっかいな放射線と向き合って暮らしていくための基礎知識」は、「茨城大学有志の会[*9]」の講習会のタイトル「やっかいな放射線と向き合う」に影響を受けて名付けました。このタイトルを使うことを快諾してくださった「茨城大学有志の会」のみなさんに感謝します。

[*9] https://sites.google.com/site/yakkaihosyasen/

重要な用語や考え方

放射性物質　不安定な原子核を含む物質。不安定な原子核は一定の割合で崩壊し、その際に**放射線**を出す（15ページ）。「放射線を出す能力」を**放射能**と呼ぶことがある。

放射線　放射性物質から出る目に見えない「何か」。放射線が分子にあたると、分子は電離される。放射線の正体は高いエネルギーを持った電子、光子などの流れ（19ページ）。

被曝　人が放射線を浴びること。体の外から浴びる**外部被曝**と体の内側から浴びる**内部被曝**がある（37ページ）。

ベクレル　放射性物質の量を測るための単位。異なった種類の放射性物質でも、ベクレルで表わした量が等しければ、出てくる放射線の量はごく大ざっぱには同程度（15ページ）。

シーベルト　被曝によって人がどれくらいダメージを受けた可能性があるかを表わす単位。記号はSvである。年間や生涯での通算で用いる。実用的には、ミリシーベルト（mSv）という単位を使う（1 mSv = 0.001 Sv, 1000 mSv = 1 Sv）。外部被曝にも内部被曝にも用いる。被曝の原因が違っても、ミリシーベルトで表わした数値が同じなら、体へのダメージは（だいたいは）同じだと考えられる[*10]。なお、シーベルトやミリシーベルトの単位で表わしている量は**実効線量**と呼ばれる（42ページ）。

[*10]　少なくとも、そうなることを目指して、ミリシーベルトの数値が決められている。

空間線量率　いわゆる「放射線の強さ」で、単位はマイクロシーベルト毎時（μSv/h）（44ページ、87ページ）。

放射線に「常識」は通用しない　原子核が変化して放射線を出すときには、化学反応と比べると桁違いに大きいエネルギーが出入りする。そのため、放射線が関わる現象にぼくたちの「常識」は通用しない。たとえば、放射性物質の崩壊のスピードを人工的にコントロールするのは（実際問題として）不可能だ（24ページ）。

低線量被曝の影響の目安　「低線量被曝の健康への影響はわからない」と言われることが多いが、それは「かぎりなくひどい影響があるかもしれない」という意味ではない[*11]。どれくらいの被害がありそうかについてはいくつかの目安がある。特に、「（自然被曝以外に）生涯で通算100ミリシーベルトを被曝すると癌で死亡するリスク（確率）が0.5パーセント上乗せされる」というICRPの「公式の考え」は一つの出発点になる[*12]（61ページ）。

[*11] 仮に影響があるとしても、これまでの調査・研究方法では、はっきりしない程度の影響だという意味だ（もちろん、「だから安心です」と言うつもりはない）。
[*12] 悲観的な人は、この目安をたとえば数倍した被害が出る可能性があると思っていればいいだろう。楽観的な人は、もっともっと影響は少ないと思っているのがいい。

目次

第1章 はじめに ... 1

- 1.1 ひどい事故がおきた ... 1
- 1.2 新しい「常識の基盤」をつくっていくために ... 3
- 1.3 この本の構成 ... 5

第2章 放射性物質と放射線 ... 7

- 2.1 原子、分子、そして、化学反応 ... 7
  - 原子とその「中身」 ... 7
  - 分子と化学反応 ... 9
  - 化学結合・化学反応と原子核 ... 10
- 2.2 原子核と放射線 ... 11
  - 原子核の構造 ... 11
  - 原子核の崩壊 ... 12
  - 放射線 ... 13
  - 放射性同位元素 ... 14
- 2.3 放射性物質 ... 15
  - 放射性物質、放射線、放射能 ... 15
  - ベクレルとは何か ... 15
  - ベクレルを含む単位 ... 16
  - 半減期とは何か ... 17
- 2.4 放射線 ... 19
  - 放射線 ... 19
  - 放射線の種類 ... 20
  - 放射線の強さ ... 22
  - 「自然の」放射線と「人工の」放射線 ... 23
- 2.5 放射線に「常識」は通用しない ... 24
  - 化学反応と原子核の変化におけるエネルギー ... 24
  - 「常識」が通用しないということ ... 24

第3章　原子力と原子力発電所事故 ... 27

3.1　原子力発電とは何か ... 27
原子力についてもっとも重要なこと ... 27
ウランの核分裂の連鎖反応 ... 28
原子爆弾と原子力発電 ... 29
原子力発電の「やっかいな」点 ... 30

3.2　福島第一原子力発電所での大事故 ... 31
事故の概要 ... 31
冷却作業はずっと続く ... 33
再臨界について ... 34
「冷温停止状態」になって事故は「収束」したのか ... 35

第4章　放射線の被曝と健康への影響 ... 37

4.1　放射線の被曝 ... 37
外部被曝 ... 38
内部被曝 ... 39
内部被曝は特に危険なのか ... 40

4.2　シーベルトとは何か ... 42
実効線量とシーベルト ... 42
シーベルトに関連する単位 ... 43
外部被曝の実効線量 ... 44
内部被曝の実効線量 ... 45
内部被曝の実効線量係数 ... 48
普段はどれくらい被曝しているか ... 50
等価線量について ... 53

4.3　被曝の健康への影響 ... 53
わりとすぐに影響が出る場合 ... 54
後からじわじわと影響が出る場合 ... 54
放射線のエネルギーと体へのダメージ ... 55
放射線が体にダメージを与える仕組み（の一つ） ... 56
DNA の傷と癌 ... 57

4.4　被曝によってどれだけ癌が増えるか ... 58
そもそもどれくらいの人が癌になるのか ... 58
広島・長崎の被爆者の追跡調査 ... 59

4.5　被曝による癌のリスクについての「公式の考え」 ... 61

　　　　ICRPの「公式の考え」とは何か 61
　　　　「公式の考え」はどうやって得られたか 64
　　　　「公式の考え」をめぐって 67
　　　　被曝量についてのICRPの勧告 68
　　　　低線量被曝の難しさ 71
　4.6　確率的におきる出来事についての考え方 72
　　　　運命のクジ引き 73
　　　　大勢でクジを引く 74
　　　　癌のリスク 75
　　　　どう考えるのか 76
　4.7　子供の被曝は別格に考える 77
　　　　一般的な考え方 77
　　　　広島・長崎の調査結果 78
　　　　妊婦と胎児の被曝について 79

第5章　放射性セシウムによる地面の汚染 81

　5.1　汚染の大まかな様子 81
　　　　各地での汚染 82
　　　　1960年代の放射性物質の降下 84
　　　　除染について 86
　5.2　地面の汚染と放射線 87
　　　　空間線量の原因 87
　　　　空間線量率と地表の汚染密度の関係 88
　　　　どれくらい遠くからの放射線を測っているのか 90
　5.3　空間線量率と被曝線量 92
　　　　年間の被曝線量の見積もり方 92
　　　　野外活動などによる余分な被曝線量の見積もり 94
　　　　空間線量率の時間変化と通算の被曝線量 95

第6章　放射性セシウムによる食品の汚染 99

　6.1　食品の汚染と内部被曝 99
　　　　食品中の放射性物質 99
　　　　食品中の放射性セシウムについての基準 101
　6.2　実効線量を用いる内部被曝の見積もり 102

  6.3　セシウムの平衡量とカリウムの量の比較 ････････････････････････････ 103
    放射性カリウムについて ･･･ 104
    体に入ったセシウムはどうなるか ･････････････････････････････････ 105
    セシウムの平衡量 ･･･ 107
  6.4　セシウムの内部被曝についてどう考えるか ････････････････････････････ 109
    実効線量を目安にする ･･･････････････････････････････････････ 110
    セシウムとカリウムの比を目安にする ･･････････････････････････････ 110
    内部被曝の現状 ･･･ 111

第7章　さいごに ･･ 113

  7.1　被曝による健康被害はどうなるのか ･･･････････････････････････････ 113
    人がバタバタと倒れることはない ････････････････････････････････ 113
    健康を害する人が目に見えて増えることもない（だろう）･･･････････････ 114
    議論は続くだろう ･･ 116
  7.2　これからどう考えていけばいいのか ･･･････････････････････････････ 116
    簡単な答えはない ･･･ 117
    今は普通の時ではない ･･･････････････････････････････････････ 118
    「気にする自由」と「気にしない自由」 ･････････････････････････････ 119

付録A　知っていると便利なこと ･･ 121

  A.1　エネルギーって何？ ･･ 121
  A.2　10のべき乗──大きい数と小さい数の表わし方 ･････････････････････ 123

付録B　関連する少し詳しいことがら ････････････････････････････････････ 131

  B.1　リスク、過剰絶対リスク、過剰相対リスク ･･････････････････････････ 131
  B.2　吸収線量、等価線量、実効線量 ･･････････････････････････････ 132
  B.3　ベクレルからモル、グラムへの換算 ･･････････････････････････････ 142
  B.4　セシウム134とセシウム137の放射能強度比 ･････････････････････ 143

  索引 ･･ 145

第1章
はじめに

この本の位置付けなどについて、ぼくが思っていることを少し書いておく。でも、こんな章は不要かもしれない。さらりと読み飛ばして、本当に大事な次の章から読み始めていただいてかまわない。

1.1 ひどい事故がおきた

本当に、ものすごいことがおきた。

2011年3月11日の大地震と津波で多くの人が犠牲になり、もっとずっと多くの人が大変な被害を受けた。そして、追い打ちをかけるように、東京電力福島第一原子力発電所で歴史的な大事故がおきた。

事故のために、稼働中だった1〜3号炉で原子炉がこわれ、稼働していなかった4号炉でも使用済み核燃料がひどいことになった[*1]。要するにめちゃくちゃ。

原子力発電所の近くは本当にひどく放射性物質に汚染されたから、ずっと長いあいだ人は暮らせない(図1.1)。住んでいた人たちも帰れない。ものすごく悲しい話だ。

原子力発電所から離れていて人が住んでいるところにも、かなり放射性物質に汚染された土地がある[*2]。住んでいる人たち、特に子供の健康に影響が出ないよう細心の注意が必要だ。

原子力発電所から出た放射性物質のため、広い範囲で農作物、食肉、魚などが汚染された。汚染のひどい食品を食べ続けると健康に影響が出る可能性があ

[*1] 福島第一原子力発電所での事故については、3.2節でもう少し詳しく取り上げる。
[*2] ぼくの住んでいる東京でも、2012年前半の放射線の強さ(空間線量率)は事故の前の倍くらい。地面が放射性セシウムで汚染されているからだ。東京での汚染はかなり軽いほうである。

図 1.1　福島県双葉郡浪江町にある立ち入り禁止区域のゲート（福島第一原子力発電所から 20 キロメートルの警戒区域との境はこのゲートよりも先にある）。警察官が警備していて、ここから先へは入れない。ゲートの先もごく普通の美しい風景が続いている（2012 年 7 月に撮影）。

るから、これは日本中の人にとって大きな問題だ。

　東京あたりにいると事故の重大さを実感していない人に時々出会う。そういう人にも、「JR の常磐線と常磐自動車道がどちらも部分的に通れなくなっていて、通れるようになるとしてもそれはまだまだ先のことだ」と話すとびっくりする。でも、そんなのはこの事故のひどい影響のごくごく一部なのだ。

　事故から 1 年以上が経って原子炉の様子はかなり落ち着いてきた。でも、現場ではまだまだ「綱渡り」的な応急処置を続けているだけで、事故を本当にきれいに収束させる見込みはまったく立っていない。そもそも、原子炉の中で核燃料がどういう風になっているのかさえ誰にもちゃんとわかっていないのだ*3。

世界の歴史に残るひどい事故だし、まだ解決していない。まだまだ何年も何十年も続く。**これを読んでいるみなさんやぼくが生きているあいだには、この事故は完全には収束しない**だろう。

　それほどに「やばい」事故がおきてしまったんだということは、この本の最初にしっかりと言っておきたい。

　　ここで（ここだけで）、原子力発電についての、ぼくの個人的な思いを（小さい文字で）書いておく。この本の本題とは関係がないので、読み飛ばしてくださってかまいません。
　　ぼくは物理が大好きで、物理を教え、自分でも研究して少しでも新しいことを見つけるのを生涯の仕事にしている。でも、ぼくの研究には原子力や放射線はぜんぜん関係してこ

---

*3　それにしても、現場の人たちの努力はすごい！　2011 年 3 月には続けていくつかの爆発があったけれど、その後は、本当に大きなトラブルはおきていない。これは奇跡的なことだと思う。

ないので、原子力発電所のことについてはまじめに関心を払ってこなかった。実をいうと、まだ若かった頃、少しだけ勉強したときに「放射性廃棄物があとに残ってどうしようもないのは困ったことだ」ということは感じていた。ただ、それ以上は踏み込まなかったし、原子力発電所そのものは安全につくられていると（今から思えば大した根拠もなく）思っていた。

「物理が好きで専門に勉強したといいながら、原発の問題に気付かないとはけしからん」とお叱りを受けたら、返す言葉もない。言い訳にはならないけれど、ぼくらが物理学の世界に入ったときには、もう原子力発電というのは基礎的な物理学を離れた、どこか遠い分野の話になっていた。要するに、原子力発電については、一般の（あまり関心のない）人たちと同じ程度の情報しか持っていなかったのだ。おそらく、まわりでいっしょに物理を学んでいた仲間たちのほとんども同じだったと思う。

そういうわけだから、福島第一原子力発電所で大事故がおきたときには本当にショックを受けた。もとをただせば物理学から生まれてきた技術がこんなすさまじい被害と苦しみを人々に与えることには愕然としたし、今まで無関心だったのはまずかったと素直に思った。思ってもどうしようもないし、何の言い訳にもならないのはわかっているけれど。

それから、自分なりに原子力について復習しいろいろ考え直したけれど、やはり（事故の直後に反射的に思ったように）「原子力発電所を持ち続けるのは人類には無理だ」という結論に落ち着いた。もちろん、すぐにすべてを止めるのは苦しいだろうが、徐々に止めていくしかない。それは多くの英知を必要とする長く困難な道になるが、やるしかないと（おそらく、多くの人と同様）ぼくは思っている。

ただし、この本は「原発廃止」を訴えて書いた物ではない。それは誤解しないでほしい。この本では、そういう意見や立場とは関係なく、わかっていることをできるだけ公平に解説したつもりだ。

1.2 新しい「常識の基盤」をつくっていくために

原子力発電所の大事故以来、日本の社会ではいろいろなことが変わってしまった。

ベクレルとかシーベルトとか、それまでは（ぼくのような物理学者でさえ）聞いたことのなかった単位が普通にニュースや新聞に登場する。しかも、それが「どうでもいい話」ではなく、日本に暮らす多くの人たちの将来の健康に関係のある話題だと言われれば、どうしたって気になってしまう。

では、そもそもベクレルとかシーベルトというのは何物で、放射線はいった

いどれくらい体に悪いのだろう？　それが知りたくて新聞やテレビを一生懸命に見ても、いかにも断片的な情報ばかりで、なかなかイメージがつかめない。あるいは、「安全ですよ。タバコのほうが危ないですよ」といった話ばかりをくり返す人たちがいるかと思うと、「危険だ！　被害が出る！」という警告を発し続けている人たちがいる。「自分はわかっている」という態度の人たちが正反対のことを言うのだから、それを聞かされるほうは困ってしまう。いったい何を信じて、どう考えればいいのか？

　こんな風に物事がひどく混乱してしまった一つの理由は、今、日本でおきている放射線をめぐる事態が、ぼくらが共有している「常識の基盤」から大きく「はみ出して」いるからだとぼくは考えている。

　「常識の基盤」というのは、社会を構成している人たちの多くが共通に持っている「知識の集まり」のことだ[*4]。「常識の基盤」でカバーできる範囲の出来事がおきたときには、ぼくたちは「常識に照らして」考えることで、それがどれくらいひどい出来事なのかとか、その出来事がどれくらい自分に関わりそうかといったことを、それなりにちゃんと判断できる。そして、自分なりに考えて、その出来事に対してどういう態度を取るか決めることもできる（もちろん、後になって「あのときに、ああ決めたのは失敗だった」と後悔することはあるけれど）。

　でも、今回の原子力発電所事故のような、「常識の基盤」からまったく外れた事件がおきるとどうしようもない。それまでの人生で蓄えてきた知識とちっとも関連がつかないから、自分のポリシーや人生観とも結びつけようがない。その事件について「どう考えるか」という以前に、そもそも「考え始める」こともできないのだ。

　マスコミも同じ。「常識の基盤」でカバーできない事件については、筋の通った報道をするのはものすごく難しい。けっきょく、上っ面だけの報道をするしかなかったのだ。

　原子力や放射線と何らかの関係がある分野の専門家たちは、確かに放射線に

[*4]　単に「集まり」というよりは、「互いに有機的に関連しあった知識の集合体」みたいな感じだろうか？

ついての「常識」を持っていただろう。ただ、それは多くの場合それぞれの業界の中だけでの「常識」で、他の分野や広い社会につながっていく「常識の基盤」ではなかったのかもしれない。だから、分野の異なる専門家たちの話はなんとなく噛み合わなかったし、専門家たちの言葉は広い社会になかなか受け入れられなかったのではないかとぼくは思っている。

　事故からはすでに1年以上が経った。しかし、放射線との付き合い、あるいは「闘い」は、まだまだ始まったばかりだ。これから先の長い年月、ぼくたちは「やっかいな放射線」としっかり向き合いながら暮らしていかなくてはいけないのだ。そのためには、みんなの「常識の基盤」を広げて、放射線に関わる事柄もカバーできるようにする必要があると思う。

　「シーベルト」や「ベクレル」にみんなが慣れるのはもちろん、「放射線のエネルギーは、化学反応のエネルギーに比べて、桁違いに大きい」とか「放射線被曝による発癌についての現在の知識のおおもとになっているのは広島・長崎での被爆者の追跡調査だ」とか「各地で空間線量があがっているのは地面に放射性セシウムがくっついているからだ」といったことも、社会の共通の知識になるべきだと思う。そういう風になって、ようやく、放射線の問題について、一人一人が自分なりの判断をし、社会全体として議論していけるようになるのではないだろうか？

　ちょっと大げさかもしれないけれど、この本は、そんなことを考えながら書いた。放射線についての基礎知識を整理し、放射線の健康への影響について何がわかっていて何がわかっていないのかをまとめることで、みんなが「常識の基盤」を広げていくためのお手伝いができればと願っている[*5]。

1.3　この本の構成

　最初に書いたように、これは、「放射線と向き合って暮らしていく」ために必

[*5] もちろん、新しい「常識の基盤」を作るためには、この本で解説する（ごく限られた、そして、おそらくは、かなり偏った）知識や物の見方だけではまったく不十分だ。多くの人が、様々な異なった角度から知識を整理する必要があると思う。

要な基礎知識を、できるかぎり短く、正確に、そして、わかりやすく解説した本だ。中学生にも読めることを目指して、必要以上にややこしい定義や用語を使わないように心がけた。また、数式を使いたい気持ちはぐっとガマンしたので、理科系の読み物に不慣れな人にも十分に読めると思っている。ただし、だからといって正確さを犠牲にはしなかったつもりだ。

本の構成をざっと見ておこう。

2章から4章までの最初の3つの章は「基礎編」だ。まず、2章で放射線や放射性物質の物理について、どうしても知っておいたほうがいい基礎知識を解説する。単に用語を覚えようというだけでなく、「なぜ放射線には、ぼくらが今まで持っていた『常識』が通用しないのか？」といった重要な事柄をしっかりと説明する。それを踏まえて、3章では、原子力発電の原理を解説し、また、福島第一原子力発電所で何がおきたかも簡単に説明する。4章は、長く、重要な章だ。放射線被曝の健康への影響について、みんなが知っておいたほうがいいと思うことを丁寧に解説する。放射線が生き物にどうやって影響を与えるか、様々な議論の基盤になっているICRPの「公式の考え」がどういうものかも説明した。もちろん、よく耳にするシーベルトも登場する。

続く、5章と6章は「応用編」だ。それぞれ、地面の汚染と食品の汚染について、日本での現状を解説し、自分なりに考えていくための方針を示した。特に、これらの章では、読者が自分でも計算ができるような「例題」を取り上げることを心がけた[*6]。

7章は結びの章。ぼくが思っていることの一部をちょっとだけ書いた。

付録では、本文を読むのには必ずしも必要ではないけれど、気になる人は知っておいたほうがいいだろうと思うことをいくつか書いておいた。さらに詳しいことを知りたくなったら、ぼくのweb上の解説[*7]にも手を出していただければと思う。

[*6] 練習問題があるというのは、いかにも大学のセンセイが書いた本だ——と思うかも知れないけれど、「常識の基盤」をつくっていくためには、みんなが自分で「手を動かして」自分の状況を知るのは大事なことだと思う。

[*7] http://www.gakushuin.ac.jp/~881791/housha/

第2章
放射性物質と放射線

放射性物質と放射線の物理に関わることがらで、是非とも知っておいたほうがいいことを解説する。ちょっと遠回りのようだが、原子、分子、化学反応の話題からはじまり、本題の原子核の話へと移っていく。よく耳にする「半減期」や「ベクレル」の意味についても詳しく説明する。

2.1　原子、分子、そして、化学反応

■**原子とその「中身」**　まず最初に話しておきたいのは、**この世界のすべての物は原子が集まってできている**ということだ（図 2.1）。そういうぼくたちだって原子からできている。

原子というのは（大ざっぱに言えば）小さな「粒」で、その一つ一つはぼくらの目にはまったく見えない。だから、ぼくらには物が「粒の集まり」だとは感じられないのだが、それでも、多くの人が長い年月をかけて研究した結果、「原子がある」ということがわかったのだ[*1]。

この世界にはだいたい百種類くらいの原子があって、それぞれの性質はよく

[*1] 「物質が原子からできている」という仮説はかなり昔からあったが、原子の存在が本当にしっかりと確認されたのはなんと 20 世紀に入ってからだ。19 世紀の終わり頃になっても「原子は存在するのか？」についての真剣な論争があり、「存在しない」とする人のほうが勢いがよかったこともあったくらいだ。だからといって、当時の人たちが「非科学的」で馬鹿だったと思ってはいけない。当時、知られていた証拠に照らし合わせて合理的に考えた範囲では、原子が存在するとは言い切れないと判断した人たちがいたということなのだ。裏を返せば、目に見えない原子を受け入れるためには、本当にしっかりとした証拠が必要だったということでもある。面白いことに、（相対性理論などで有名な）アインシュタインも、若い頃には、どうすれば「原子が存在する」ことを証明できるかを一生懸命に研究しており、きわめて重要な貢献をしている。

図 2.1 グラファイトという物質の単結晶の表面を走査型トンネル顕微鏡という装置で「撮影」した画像（光をあてるのではなく、細い探針で表面をなぞって画像を作っている）。図の 1 辺が 2.1 ナノメートル（おおよそ、100 万分の 2 ミリメートル）である。確かに原子が規則的に並んでいるのが「見える」。山田豊和氏提供。

わかっている。原子には名前と、元素記号とよばれる万国共通のアルファベットの記号がついている[*2]。たとえば、水素は H、酸素は O、炭素は C といった具合。原子力発電所の事故以来よく耳にする物質だと、ヨウ素は I、セシウムは Cs、ストロンチウムは Sr、ウランは U、それにカリウムは K といったところ。

物質のおおもとである原子にもさらに「中身」がある（図 2.2）。原子の中心にはごく小さな**原子核**があり、そのまわりをさらに小さな（実は大きさゼロの）**電子**が何個か「まわって」いることがわかっている[*3]。各々の原子には、**原子番号**という固有の番号がついている[*4]。水素（H）は 1、ヘリウム（He）は 2、炭素（C）は 6、酸素（O）は 8 といった具合。原子が電気的に中性（「電気を帯びていない」ということ）のときには、原子の中の電子の個数はちょうど原子番号に等しい。

原子核は電子に比べるとずっと重いので、原子全体の**質量**（重さ）は原子核の質量とほとんど等しい。電子はマイナスの**電荷**を帯びており、原子核はプラス

[*2]「元素」は「原子」とほとんど同じ意味だが、「もの」としての原子ではなく、「原子の種類」を表わす、やや抽象的な言葉である。

[*3] こう説明して、図 2.2 のような図を見せると、まるで太陽のまわりを地球などの惑星がまわっている様子と似ていると思えてしまうが、実はそうではない。原子の様子は太陽系とはまったく違うのだ。ただし、それをちゃんと説明するには量子力学という理論体系についての知識がどうしても必要になる。

[*4] 2.2 節で説明するが、原子番号は原子核の中の陽子の個数に等しい。

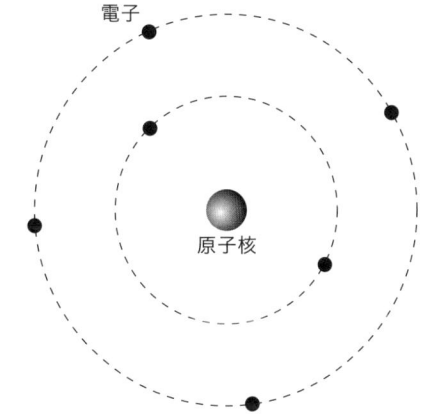

図2.2 炭素（元素記号はC）の原子の（すごく大ざっぱな）模式図。中心に小さな原子核があり、その周りをもっと小さな電子が6個まわっている。炭素原子は電気的に中性なので、電子の個数は原子番号と等しい。原子の大きさは約1億分の1 cm程度。原子核はさらに小さく、その大きさは原子の大きさの10万分の1程度。また、電子はきわめて軽いので、原子の質量は原子核の質量とほとんど同じ。

の電荷を帯びている。マイナスとプラスの電荷は引き合うので、その力によって、電子は原子核の周囲に引き寄せられているのだ。

簡単に言えば、**真ん中に原子核がずっしりと構えていて、そのまわりを軽い電子がまわっている**というのが、原子の大ざっぱな姿だと思っていい。

■**分子と化学反応**　「物が原子からできている」ことから、この世界の様々なことがわかる。

たとえば、ぼくたちが呼吸している空気は、**窒素**や**酸素**の**分子**が集まったものだということがわかっている。分子というのはいくつかの原子が**化学結合**で結びつけられてできた**粒子**だ。たとえば、酸素分子は、

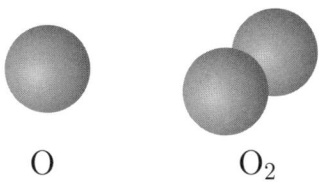

O　　　　O_2

という感じに、酸素原子（左側のOと書いてある球）二つがくっついてできている（右側のO_2と書いてあるほう）。

さらに、分子の種類が変化してしまう**化学反応**というのもある。たとえば、水素ガスと酸素ガスを混ぜておいて、火花を飛ばすと、ドカンと爆発して水に変わる[*5]。この化学反応を、もっとも細かいところで見ると、

---

*5　ちなみに、福島第一原子力発電所でおきた「水素爆発」というのは、この化学反応。

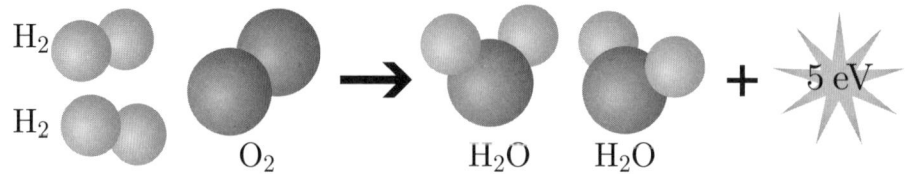

という具合に、水素分子（左側の H_2 と書いてあるもの）2個と酸素分子1個が出会い、原子のくっつき方を組み替えて*6、水分子（ミッキーマウスみたいな形のもの）2個に変化していることになる。

また、「ドカンと爆発」することからもわかるように、この化学反応の際には熱（エネルギー）が発生する*7。上の図の最後に書いてある「5 eV」というのが、図のように分子3個が反応した際に出てくる「熱」の大きさだ。もちろん、分子3個の反応で出る「熱」はものすごく小さい。ここにでてきたeV（エレクトロン・ボルト、あるいは、電子ボルトと読む）は、「とても小さな熱（エネルギー）を表わすための単位」だと理解していればいいだろう*8。

■ **化学結合・化学反応と原子核**　化学結合や化学反応がおきるときには、原子がくっついたり、原子のくっつき方が変わったりする。このときに活躍するのは、原子の中でも、原子核のまわりをまわっている電子たちだ（図2.2）。電子の動く軌道が変わったり、電子がいくつかの原子のあいだを行き来したりすることで、化学結合や化学反応が生じる。一方、原子核はまったく変化しない。化学結合や化学反応がおきるときも、原子核は原子の中心にずっしりと構えていて、ほとんど何の影響も受けないのだ。

ぼくたちの身のまわりでは実に様々な化学反応がおきている。火が燃えたり火薬が爆発したりするのはもちろん化学反応だ*9。また、ぼくたち生き物が生きていられるのも、体の中でものすごく多くの化学反応が複雑に絡みあって生

---

*6　反応の前も後も、水素原子（薄い灰色の球）は4個、酸素原子（濃い灰色の球）は2個だから、原子の個数は変化しないことに注意しよう。

*7　エネルギーについてもう少し詳しく知りたい場合は、付録 A.1 をどうぞ。

*8　**理系読者向けの注意**：物理で普通に使うエネルギーの単位はJ（ジュール）だ。たとえば100 gの物を高さ1 mから落とすと、最後は約1 Jのエネルギー（正確には、運動エネルギー）を持つ。eV を J で表わすと、$1\,\text{eV} \simeq 1.6 \times 10^{-19}\,\text{J}$ である。より詳しくは、付録 A.1 を見よ。

*9　次ページの写真はルマイラ油田の火事。

じているからだ。めらめらと燃え上がる巨大な炎は見るからに怖ろしいけれど、それでも、炎も、ぼくら人間も、化学反応で成り立っているという意味では同じ「仲間」だと言っていいだろう。

そして、そういう**様々な化学反応がおきるとき、原子の中心にいる原子核はビクともしない**のだ。さらに言えば、ぼくたちが目にしている日常的な現象の中で、原子核の変化が大事な役割を果たしているような現象は一つもない[*10]。仮に、この宇宙の法則が今とは異なっていて、原子核がまったく変化しなかったとしても、ぼくたちが経験する日常の世界には（原子力発電所はないけれど）ほとんど何の違いも現れないのだ[*11]。

2.2　原子核と放射線

■**原子核の構造**　炎が燃え上がっても「ビクともしない」原子核にも、実は「中身」がある。原子核は、**陽子**、**中性子**と呼ばれる粒子が[*12]、**核力**という強い力で結びつけられてできた小さな塊なのだ（図 2.3）。

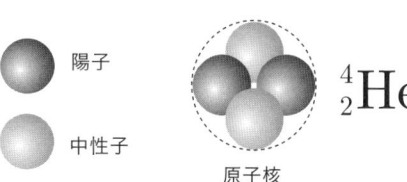

図 2.3　たとえば、ヘリウム 4（記号では $^4_2$He）の原子核は、陽子 2 個と中性子 2 個がくっついたもの。アルファ線というのは、このヘリウム 4 の原子核の高速の流れのことを言う。なお、原子核の構造を考えるには量子力学という理論が必要なので、この図は、ものすごくいい加減だ。もちろん、陽子や中性子に濃淡がついているわけでもない。

[*10] 風が吹いたり、物が壊れたり、水が沸騰したりといった（化学反応ではない）現象は、単に分子や原子の移動でおきるので、もちろん原子核は変化しない。

[*11] とは言っても、ぼくらの日常生活のエネルギーの源になっている太陽は、原子核が変化する**核融合反応**によって光を出している。原子核が変化しなければ太陽は光らないのだ。それ以前に、原子核が変化しない宇宙では、様々な原子核が合成されることもないので、ぼくたちが見ているような世界は絶対にできない。

[*12] **理系読者向けの注意**：陽子も中性子も、大きさは 10^{-15} m 程度で、質量もほぼ等しくて約 1.7×10^{-27} kg である。ただし、陽子は $+e$ の電荷を持ち、中性子は（名前のとおり）電荷を持たず中性である。陽子も中性子も素粒子ではなく、クォークと呼ばれる素粒子が 3 つ集まってできた粒子だということがわかっている。

原子核を作っている陽子と中性子の個数がわかれば、その原子核の種類がわかる。陽子と中性子の個数の合計を**質量数**と呼ぶ。陽子の個数が（その原子核を含む原子の）**原子番号**である[*13]。そして、原子核の種類（「核種」と言うこともある）を表わすときには、

という風に、元素記号（この場合はセシウムの Cs）の左上に質量数を書き、左下に原子番号を書く。ただし、元素記号がわかれば原子番号は一つに決まるので、^{137}Cs のように、質量数だけを書くことも多い。また名前で呼ぶときには、「セシウム 137」とか「ヨウ素 131」のように、原子（元素）の名前のあとに質量数をつける。

■ **原子核の崩壊** 好き勝手な個数の陽子と中性子を集めてやれば、それで原子核ができるというわけではない。陽子と中性子のあいだに働く力がうまくつり合って、ちゃんと原子核ができるためには、陽子と中性子の個数が上手にバランスしていなくてはいけないのだ。

たとえば、陽子 55 個と中性子 78 個からできているセシウム 133（$^{133}_{55}$Cs）という原子核では、陽子と中性子の個数がちょうどよくバランスしている。そのため、セシウム 133 はしっかりとした安定な原子核である。

同じセシウムの原子核でも、安定なセシウム 133 に比べると中性子の個数がずれてしまった原子核もある。すぐ上に登場したセシウム 137（$^{137}_{55}$Cs）の原子核は、陽子 55 個と中性子 82 個からできている。セシウムだから陽子は 55 個と決まっているのだが[*14]、セシウム 133 に比べて中性子が 4 個多い。実は、こ

[*13] **理系読者向けの注意**：一般に、質量数を A と書き、原子番号を Z と書く。陽子の持つ正の電荷と電子の持つ負の電荷は、正負が異なるだけで、大きさは完全に等しい。電子と陽子の個数が等しいと、原子全体はちょうど電気的に中性になる。

の原子核は原子力発電の副産物として作られる。

このように（バランスした状態に比べて）中性子が多すぎる原子核は「不安定」である。どういうことかと言うと、セシウム137も、しばらくは自分の姿を保っていられるのだが、ある程度の時間が経つと、やはり自分はバランスが崩れていることを自覚してしまう。けっきょくは「ダメだぁ〜」という感じであきらめて、バリウム137（$^{137}_{56}$Ba）という安定な原子核に姿を変えてしまうのだ（図2.4）。

こうやって不安定な原子核が別の原子核に変わってしまうことを**崩壊**と言う。不安定な原子核が崩壊すると、最終的には、安定な原子核へと変化する。すぐ後で説明するが、原子核の崩壊の際には放射線が外に飛び出てくる。つまり、**原子の中心でずっしりと構えていた「ビクともしない」原子核も、実は、変化することがある**ということだ。これは、20世紀前半の実に驚くべき発見の一つだった。

■**放射線**　セシウム137がバリウム137に姿を変えるとき、外に、**光子**（光の粒）と電子が一つずつ飛び出してくる（図2.4）。これら光子と電子は、高いエネルギー（正確には、運動エネルギー）を持っている[*15]。前に登場したeV（エレクトロン・ボルト、電子ボルト）の単位で測ると、光子のエネルギーは約60

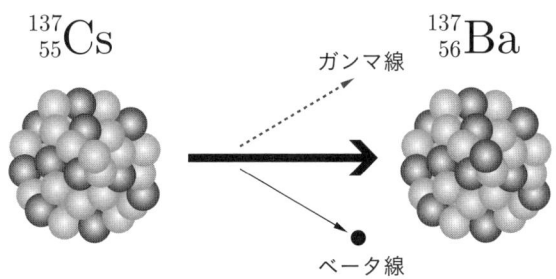

図2.4　不安定なセシウム137の原子核は崩壊して（短命な中間状態を経て）安定なバリウム137の原子核に姿を変える。この際に、高いエネルギーの光子（ガンマ線）と電子（ベータ線）が外に飛び出てくる。

[*14]　元素の名前が決まれば、原子番号が決まる。そして、陽子の個数は原子番号に等しい。
[*15]　エネルギーについては、付録A.1を見よ。

万 eV、電子のエネルギーは平均で約 20 万 eV だ*16。水素分子 2 個と酸素分子 1 個が反応するときに出てくるエネルギーが 5 eV だったことを思い出そう。なんと 10 万倍以上のエネルギーが放出されることになる。

　これは、今の例にかぎったことではない。一般に、**原子核の崩壊に伴うエネルギーは、化学反応に伴うエネルギーに比べると、桁違いに大きい**のだ。このようなエネルギーの大きさの違いは、放射線を理解していく上できわめて重要になってくる*17。この点については、2.5 節でじっくりと議論する。

　言うまでもないだろうが、このような高いエネルギーを持った光子や電子の流れが（この本の主要なテーマの）**放射線**だ。光子の流れをガンマ線、電子の流れをベータ線と呼ぶ。

■**放射性同位元素**　普通のセシウムの原子は、（安定な）セシウム 133 の原子核と、その周囲をまわる 55 個の電子からできている。これにそっくりな「変なセシウム原子」が何種類かある。やはり電子は 55 個あって、まわり方も「普通のセシウム原子」の場合とほぼ完璧に同じなのだけれど、真ん中にいるのが、たとえば、セシウム 137 の原子核なのだ。つまり、普通の原子の真ん中にいる安定な原子核を、同じ種類の不安定な原子核に置き換えてしまったということだ。

　このような、セシウム 137 が真ん中にいる原子も、原子核がほんの少しだけ重いことを別にすれば、普通のセシウム原子とそっくりだ。化学反応や化学結合の仕方も、普通のセシウム原子とほとんど区別がつかない*18。化学の分野では、このような不安定な原子核が中心にいる原子*19 のことを**放射性同位元素**と呼んでいる。もとの元素（この場合はセシウム）と同じ化学的性質を持つから「同位元素」であり、放射線を出すから「放射性」というわけだ。

---

*16　**理系読者向けの注意**：セシウム 137 からのガンマ線（光子）のエネルギーは（ほぼ）定まっているが、ベータ線（電子）のエネルギーは広い分布を持っている。ここにはベータ線のエネルギーの平均値を引用した。
*17　もちろん、何十万 eV と言っても、日常的なスケールから言えば、まだまだとても小さなエネルギーに過ぎない。しかし、放射線を作っている個々の粒子のエネルギーがきわめて高いために、放射線は独特の性質（特に生体への影響）を持つことになる。これは、4.3 節の重要なテーマになる。
*18　化学反応や化学結合で主役を演じるのは電子だったことを思い出そう。
*19　「元素」だから、正確には「原子の種類」。脚注 *2 を見よ。

単に「セシウム 137」というときには、原子核の種類（核種）を表わすこともあれば、放射性同位元素（つまり、物質の種類）を表わすこともある。この本でも両方の意味で使っているが、混乱は生じないと思う。

さて、これでだいたい役者はそろった。新しい節に移って、放射性物質や放射線についてしっかりとまとめよう。

2.3　放射性物質

■**放射性物質、放射線、放射能**　不安定な原子核を含んでいる物質のことを**放射性物質**という。放射性同位元素というのとほとんど同じで、セシウム 134、ヨウ素 131 といった物質を念頭に置いて使うことが多い。不安定な原子核は一定の割合で崩壊し、その際に、放射線を出す。だから、**放射性物質からは放射線が出てくる**。

放射能という言葉もよく聞く。本来の意味は「放射線を出す能力」ということだ。だから、「放射性物質」＝「放射能を持った物質」ということになる。

実際には、放射能という言葉はかなり広い意味で使われる。たとえば、「放射能を帯びた瓦礫」というときには「放射性物質がまざっている瓦礫」という意味だ。「原子力発電所から放射能がもれている」というような言い方もよく耳にするのだが、これはちょっと困る。「原子力発電所から放射線が外に出ている」という意味と「原子力発電所から放射性物質が外に出ている」という意味の両方が考えられるが、この二つの意味は大ちがいなのだ。こういう言い方はやめてほしい。もちろんこの本ではそんな曖昧な使い方はしないが、別のところで「放射能」という言葉を目にしたときは、注意して、どういう意味で使っているか考えてほしい。

■**ベクレルとは何か**　最近よく耳にする**ベクレル**（記号は Bq）とは、**放射性物質（あるいは、放射性同位元素）の量を測るための単位**だ。

量を知りたいなら、たとえば、重さを測ってもいいし、体積を測ってもいい。ただ、ベクレルを使って測る際には「どれくらい放射線が出てくるか」に注目

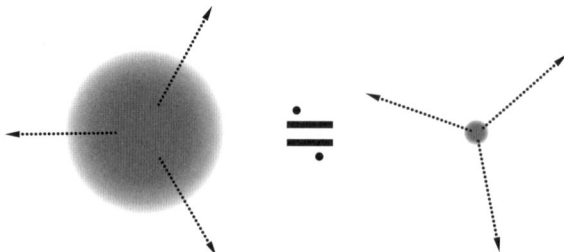

図 2.5 ベクレルのイメージ。2 種類の放射性物質（放射性同位元素と言ってもいい）のベクレルで表わした量が等しければ、質量や体積がまったく異なったとしても、出てくる放射線の量はごく大ざっぱには同程度だ。

する。「放射能」を測っているという言い方もできる（普通の量の測り方との関係は付録 B.3 で説明する）。

正確な定義を書けば、「1 ベクレル（1 Bq）の放射性物質があれば、平均で 1 秒間に 1 個の不安定な原子核が崩壊する」ということだ。もう少し「実用的」には、**たとえ放射性物質の種類がちがっても、ベクレルで表わした量が等しければ、出てくる放射線の量はごく大ざっぱには同程度だと言ってもいい**（図 2.5）。

たとえば、カリウム 40 という放射性物質の 4000 ベクレル（4000 Bq）は、質量でいうと、0.015 グラム（0.015 g）に相当する[*20]。実は、大人の体の中には、まったくの自然の状態で、これくらいの量のカリウム 40 がある（6.3 節を見よ）。一方、同じ 4000 Bq のセシウム 137 の質量は、たったの 0.0000000012 g だ！質量で比べればこれら二つはまったく違うのだが、それでも、出てくる放射線で比べると、大ざっぱには「同量」ということになる。放射線について考えたいときには、重さ（質量）や体積よりも、ベクレルで表わした量が便利だということがわかると思う。

■ **ベクレルを含む単位**　ベクレルそのものが話に出てくることもあるが、ベクレルを含んだ別の単位を耳にすることも多い。

地面の汚染の話では、**汚染密度**を表わすために、ベクレル毎平米（Bq/m^2）、あるいは、キロベクレル毎平米（kBq/m^2）という単位が出てくる[*21]。これは、**地面 1 平方メートルあたりに何ベクレルの放射性物質がくっついているかを表わす単位**だ。たとえば、「放射性セシウムによる汚染が 3 万 Bq/m^2」というこ

[*20]　計算は付録 B.3 を見よ。
[*21]　1 平方メートルは 1 辺の長さが 1 メートルの正方形の面積。メートルを「米」と書くので、「平方メートル」は「平方米」と書けるが、さらに「方」を省略して「平米」と書くことも多い。

とは、1平方メートルの地面に3万ベクレルの放射性セシウムがくっついているという意味になる。

食品や水の汚染の場合は、ベクレル毎キログラム（Bq/kg）という単位を使う。これは、**食品や水1キログラムあたりに何ベクレルの放射性物質が入っているか**を表わしている。たとえば、「食品中の放射性セシウムの濃度が 100 Bq/kg」ということは、この食品1キログラムの中に 100 ベクレルの放射性セシウムが入っているということだ。

これらの単位で表わされる量がどういう意味を持つのか（そもそも、3万 Bq/m^2 とか 100 Bq/kg というのは、多いのか少ないのか、「やばい」のか気にしなくていいのか）については、あとで「応用編」の5章、6章で取り上げる。

■**半減期とは何か**　不安定な原子核が崩壊するにつれ、放射性物質の量は次第に減っていく。この減り方を特徴づけるのが**半減期**だ。半減期は、各々の核種（あるいは、放射性同位元素）ごとに正確に決まった値をとる（表 2.1）。

以下、その意味を解説しよう。

前に説明したように、不安定な原子核は、しばらくのあいだは最初と同じ姿を保っているのだが、ある時に急に崩壊して別の原子核に姿を変える。

この崩壊のタイミングの決まり方が面白い。普通に考えると、きっと原子核が時間とともにだんだん「疲れてきて」、一定の時間が経って「疲れ切った」と

核種	記号	半減期	崩壊の際に出る放射線
ストロンチウム 89	$^{89}_{38}$Sr	50.5 日	ベータ線、ガンマ線
ストロンチウム 90	$^{90}_{38}$Sr	28.8 年	ベータ線
ヨウ素 131	$^{131}_{53}$I	8.02 日	ベータ線、ガンマ線
キセノン 133	$^{133}_{54}$Xe	5.25 日	ベータ線、ガンマ線
セシウム 134	$^{134}_{55}$Cs	2.06 年	ベータ線、ガンマ線
セシウム 137	$^{137}_{55}$Cs	30.2 年	ベータ線、ガンマ線
プルトニウム 239	$^{239}_{94}$Pu	2.41 万年	アルファ線、ガンマ線
プルトニウム 240	$^{240}_{94}$Pu	6.56 千年	アルファ線、ガンマ線
ラドン 222	$^{222}_{86}$Rn	3.82 日	アルファ線、ガンマ線

表 2.1　いくつかの核種の半減期と崩壊の際に放出する放射線。

きに「俺ももう寿命が尽きた〜」とか言いながら崩壊すると思いたくなる。でも、実際は全然ちがう。不安定な原子核の崩壊は、ギャンブル的に（かっこよく言えば、確率的に）デタラメにおきる現象なのだ。

「各々の原子核が1秒間に1回ずつ『運命のルーレット』をまわし『00』が出たらすぐに崩壊する」という「たとえ話」はかなり正確だ。運が悪ければすぐに崩壊するし、運がよければずっと崩壊しないで、もとのままの姿をしている。そして、ルーレットを何回まわそうと、原子核が「疲れていく」こともないし、「原子核の中のタイマーが進む」こともない。崩壊しないかぎり、不安定な原子核は最初とまったく同じ「フレッシュな不安定な原子核」のままなのだ[*22]。

同じ種類の不安定な原子核がたくさんあったとしよう。それぞれの原子核が「運命のルーレット」をまわす。「00」を引き当てた原子核は崩壊していくので、不安定な原子核の数は徐々に減っていく。こうして、残った不安定な原子核の個数が最初の半分になるまでにかかる時間を**半減期**という。たとえば、ヨウ素131（^{131}I）の半減期は約8日だ[*23]。仮に、最初にヨウ素131が1グラムあったとすると、8日後には約 0.5 グラムに減っているということだ。

話が面白くなるのはここから。

ちょうど半減期だけの時間が経った後、崩壊せずに残っている不安定な原子核たちを見てやろう。「仲間の半分が消えてなくなるほどだから、残ったやつらも疲れ切っていて、命は残りわずかだろう」と思うのが人情だ。しかし、原子核に人情は通用しない。上で説明したように、崩壊しないかぎりは、不安定な原子核は最初とまったく同じ「フレッシュな不安定な原子核」だ。だから、崩壊せずに残った不安定な原子核だけを見てやれば（全体の個数が減っただけで）最初の状況とちっとも変わらないのだ。

ここから、ちょうど半減期だけの時間が経つとどうなるか？ 上の説明から答えはわかっていると思うけれど、不安定な原子核の数は、やっぱり、また半分になる。つまり、最初から見れば、4分の1ということだ（図 2.6）。

さっきのヨウ素131の例で言えば、最初に1グラムだったのが、8日たつと

[*22] なんでそんな変なことになっているのかは、量子力学を使うと理解できる。
[*23] ヨウ素131は崩壊してキセノン131（^{131}Xe）になる。

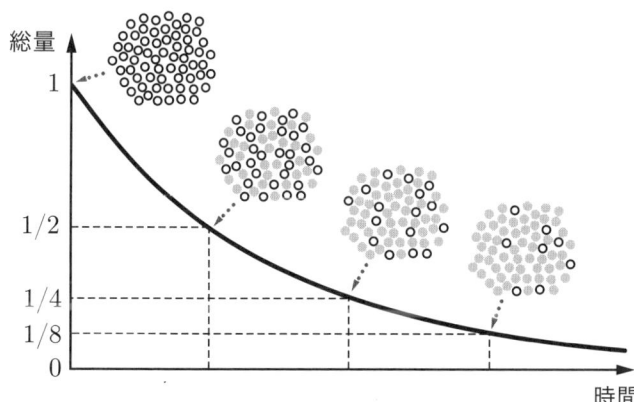

図 2.6 放射性物質の総量の減り方を表わすグラフと模式図。白丸が不安定な原子核、灰色の丸が崩壊してできた安定な原子核を表わす。はじめ放射性物質の総量が1だったとして、時間が経った後の量をグラフにした。ちょうど半減期だけの時間が経てば、総量は 1/2 になり、さらに半減期だけの時間が経つと 1/4 になる。

0.5 グラムになり、もう 8 日たつと 0.25 グラムになり、もう 8 日たつと 0.125 グラム、という具合。「8 日たつと半分」というのが（ヨウ素 131 の原子核が極端に少なくなるまで）ずっと続くということになる。

あるいは、放射性のセシウム 137 の半減期は約 30 年だ。困ったことに、関東の広い地域の地面にはセシウム 137 がくっついている（これについては、5 章で詳しく取り上げる）。仮にセシウムの移動がないとすれば、セシウム 137 の総量は（ぼくがおじいさんになっているだろう）30 年後にようやく半分になり、（ぼくが生きているかどうか、かなり微妙な）60 年後に 4 分の 1 になるということがわかる。

これが半減期の意味だ。「半減期は人の寿命に似ていますね」という説明が放射線の専門家の書いた本の中にあった。（上の説明を読んだ人には完璧にわかっていると思うけれど）それは全然ちがう！

2.4 放射線

■**放射線**　すでに説明したように、**放射線とは、不安定な原子核が崩壊するときに外に飛び出してくる、大きな運動エネルギーを持った粒子の流れ（あるいは、その粒子そのもの）のことだ**[*24]（表 2.2）。放射線は、光と同じように、まっす

[*24] 正確には、崩壊以外のやり方（たとえば、原子炉の中での核分裂）で原子核が変化することもあり、その際にも放射線が出てくる。

	粒子	遮蔽に必要なもの	空気中の飛距離
アルファ線（α線）	$^4_2$He原子核	紙1枚	数cm
ベータ線（β線）	電子	薄いアルミ板	数十cm
ガンマ線（γ線）	光子	厚い鉛板	数百m

表2.2 代表的な放射線。空気中の飛距離は大ざっぱな目安。

ぐに進む。放射線を出す元になるもの（放射性物質の塊など）を放射線源あるいは線源と呼ぶことがある。

放射線は、（よほど強くないかぎりは）ぼくらの目には見えないし体に当たっても感じない。痛くもかゆくも暖かくもないのだ。

放射線が物質に入ると次のようにして**電離作用**をおこす。放射線は、物質中をしばらく進んだところで、物質をつくっている原子に衝突する（どれくらいの距離を進むかは、放射線の種類と物質の種類と密度でだいたい決まる）。放射線はきわめて高いエネルギーを持っているので、衝突された原子からは、（それまで原子核のまわりをまわっていた）電子が勢いよく飛び出す。このため、衝突された原子を含む分子は（それまで電気的に中性だったとすると）電荷を帯びる。これが電離作用だ。

電荷を帯びると分子の化学的性質が変わるので、多くの場合、その分子はまわりの物質と激しく反応する。一本の放射線（つまり一つの高エネルギーの粒子）が物質に入ったとき、放射線が通った道に沿って、多くの分子が電離される[*25]。

■**放射線の種類**　原子核から飛び出してくる粒子の種類に応じて、放射線にもいろいろな種類がある。以下では、もっとも大事なアルファ線、ベータ線、ガンマ線について簡単に説明しておこう（表2.2を参照）。他にも、もちろん、様々な放射線が知られている。たとえば、中性子がそのまま飛んでくる放射線があり、（そのまんまのネーミングだけど）中性子線と呼ばれている[*26]。

[*25] ガンマ線が入射した場合、原子からすごい勢いで電子を叩き出すので、その電子が物質中を飛んで、さらに電離を引きおこす。
[*26] ぼくらが福島第一原子力発電所事故の影響で中性子線を被曝する可能性はまったくないが、中性子線も被曝すると危険な放射線だ。

アルファ線：アルファ線は、大きな運動エネルギーを持ったヘリウム 4 の原子核（陽子 2 個と中性子 2 個の塊）の流れである。ヘリウム 4 の原子核をアルファ粒子と呼ぶこともある。アルファ線は、物質の中に入ると、すぐに原子と衝突して電離作用をおこす。

そうやって、さっさと衝突するため、アルファ線は物質の中を少し進むと急激に弱まっていく。紙 1 枚あれば止められるとよく言われる（図 2.7）。空気中でも数センチの距離を進むと弱まってほぼ消えてしまう[*27]。

ベータ線：ベータ線は、大きな運動エネルギーを持った電子の流れ。やはり、物質の中に入ると、さっさと原子と衝突して電離させる。

アルファ線ほどではないが、物質中を進んでいくとどんどん弱くなっていく。数ミリのアルミ板で止められる（図 2.7）。空気中でも数十センチの距離を進むとほぼ消える（ただし、飛距離はエネルギーによって変わるので、これは簡単な目安）。

ガンマ線：ガンマ線は、大きな運動エネルギーを持った光子の流れ[*28]。ものすごく波長の短い（そして、エネルギーの高い）光の仲間だと言ってもいい。

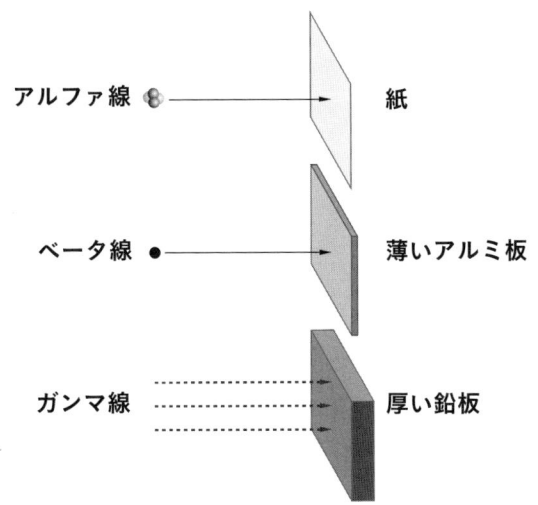

図 2.7　アルファ線、ベータ線、ガンマ線が遮蔽される様子。アルファ線は紙 1 枚で、ベータ線は薄いアルミ板で、ガンマ線は厚い鉛板で止められる。

[*27] もちろん、飛んできたヘリウム 4 の原子核が消えるわけではなく、勢いを失って放射線ではなくなってしまうということ。下でベータ線が「消える」というときも同じ。

[*28] アルファ線、ベータ線、中性子線などは、原子の「部品」になっている小さな粒子の流れである。ガンマ線だけは、光子の流れなので、少し毛色がちがう。

レントゲンでお馴染みのX線も、ガンマ線とほとんど同じ、エネルギーの高い光だ*29。

　アルファ線やベータ線とは違って、ガンマ線は物質の中に入っても、原子とはあまり衝突しないで、どんどんすり抜けていく。そして、ごくまれに原子と衝突する。そのため、ガンマ線を止めるには10センチ程度の鉛の板が必要になる（図2.7）。また、空気中でも、弱くなってほぼ消えるまでに数百メートルの距離を飛ぶ。

■ **放射線の強さ**　放射線の「強さ」は、飛んでくる一つ一つの電子や光子がどれくらいの勢い（運動エネルギー）を持っているかと、そもそも何個くらいの電子や光子が飛んでくるかという二つの要素で決まってくる。それを上手に特徴づけるような「強さ」の定義がいくつかあるのだが、この本の目的のためにはそこまで説明する必要はない。

　ぼくらが使う「放射線の強さ」は、**空間線量率**、あるいは、**線量率**と呼ばれている。「率」を略してしまって、**空間線量**、あるいは、**線量**と呼ぶこともある。「この裏山は線量が高い」というような言い方をよくするが、これは、正確に言えば、「この裏山は空間線量率が高い」ということになる。

　空間線量率は、ガイガーカウンターやシンチレーションカウンターのような**線量計**で測れる量だ*30。線量計の原理や仕組み（あるいは、線量計の正しい使い方）については、この本では扱わない。ごく大ざっぱに言うと、シンチレーションカウンターでは、カウンターの中にある特別な結晶に、一定の時間の間にどれくらいのエネルギーの光子が何個くらい衝突したかを測っている。

　空間線量率の単位はマイクロシーベルト毎時（μSv/h）である。線量計の読みも、この単位で表わされている*31。この単位の意味については、かなり先に

---

*29　理系読者向けの注意：電波、光、X線、ガンマ線は、古典物理学の観点では、いずれも電磁波である。ただし、ガンマ線が関わる現象では量子力学の効果が重要になるので、電磁波を量子力学的に取り扱う必要がある。そうすると、「光子」という粒子がごく自然に理論に現われてくるのだ。
*30　普通の読者はまったく気にしなくていいのだが、厳密に言うと、線量計で測っているのは周辺線量当量率である。付録B.2を参照。
*31　マイクログレイ毎時（μGy/h）という単位が使われることもあるが、マイクロシーベルト毎時（μSv/h）と同じものだと考えてよい。グレイについて詳しく知りたい方は、付録B.2を参照。

なるが、4.2 節で詳しく説明する。

■「自然の」放射線と「人工の」放射線　原子力や人類の文明とはまったく関係なく、この地球には放射線が飛び交っている。空から降ってくる放射線（宇宙線と呼ばれる）もあるし、大地からも放射線が出ている。また、ぼくらの体の中に取り込まれている放射性カリウムやラドンからも放射線が出る。これらの放射線は「自然の放射線」だ（これについては、4.2 節で取り上げる。特に表 4.3 を見よ）。

一方、原子爆弾や原子力発電所から出てくる放射線は、人間の技術によって作られたものだから「人工の放射線」と言える。

「自然の放射線」、「人工の放射線」と名前をつけてしまうと、二つが随分と違うもののように見えるが、それは正しくない。空から降ってくるガンマ線も、原子力発電所から出てくるガンマ線も、高エネルギーの光子の流れであることに変わりはない。そして、光子はどこから出てきたとしても全く同じ性質を持った同じ光子なのだ。もちろん、放射線源に応じて光子のエネルギーは少しずつ異なるが、それは別に「自然」と「人工」の違いというわけではない。

まれに「自然の放射線は体にさして悪影響を与えないが、人工の放射線は体に悪い！」という主張を見ることがあるが、そんなことはない。体の中の生体分子が放射線を浴びたとき、生体分子が「自然の放射線」と「人工の放射線」を区別することはないからだ。放射線は、単に物理法則に粛々と従って分子を電離し、生体分子を傷つけるのだ（4.3 節を見よ）。

一方、内部被曝についての「自然界にもともとある放射性物質よりも、（自然界には存在しなかった）人工の放射性物質のほうが、体に入ったとき危険かもしれない」という意見には、場合によっては、それなりの根拠があると思うべきかもしれない。自然界に存在しなかった放射性物質の場合、体の中でどのようにふるまうかについてのぼくらの知識が少ないのは事実だからだ。この点については、4.1 節の最後の内部被曝についての議論をご覧いただきたい。

2.5 放射線に「常識」は通用しない

最後に、**ぼくらの「常識」は放射線には通用しない**という重要な注意をしておこう。

■ **化学反応と原子核の変化におけるエネルギー**　2.1 節で、水素分子 2 個と酸素分子 1 個が反応すると約 5 eV（電子ボルト）の熱が出てくることを見た。これは数多くの化学反応の一例に過ぎないが、一般の化学反応でも、もちろん熱（正確にはエネルギー）の出入りがある。さらに、出入りするエネルギーの大小は反応によってまちまちだが、どれをとっても、だいたい、数十 eV とか、数分の 1 eV とか、eV（電子ボルト）の単位で測って「まともな値」になる大きさなのだ[*32]。

一方、放射性のセシウム 137 が 1 個だけ崩壊するとき、約 60 万 eV のエネルギーの光子（ガンマ線）と約 20 万 eV のエネルギーの電子（ベータ線）が飛び出してくることを見た。つまり、セシウム 137 の崩壊の際には数十万 eV 程度のエネルギーが放射線として放出される。

他の不安定な原子核の崩壊の場合も事情はほとんど同じで、やはり、数十万から百万 eV くらいのエネルギーが外に出てくる。あるいは、大きな原子核が分裂する核分裂反応では何億 eV ものエネルギーが出る（3.1 節を見よ）。

一般に、**原子核が変化するときには、百万 eV あるいはそれ以上のエネルギーが出入りする**ということだ。**化学反応に伴うエネルギーの出入りに比べると、桁違いに大きなエネルギーが関わっている**のである。

■ **「常識」が通用しないということ**　2.1 節でも書いたように、ぼくたちの身のまわりでは様々な化学反応がおきている[*33]。ぼくら生き物も化学反応で生きて

[*32] 水素分子 2 個と酸素分子 1 個の反応のように、もっとも基本的な分子レベルでの反応の際のエネルギーの出入りを考えている。実際の化学反応では、数多くの分子が反応するので、全体としては、もっともっと大きなエネルギーが出入りする。

[*33] 次ページの写真は金属アルミニウムと金属酸化物がおこすテルミット反応（Wikipedia より、Nikthe-stoned 氏による）。

いる。

　人類の場合、歴史のある段階から火を使いこなして暮らしに役立てるようになった。それ以来、人類は多くの化学反応を「てなづけて」利用してきた。そういう意味で、人類と化学反応の付き合いの歴史はとても長く、人類は化学反応についてはかなりしっかりした常識を持っている。裏返して言えば、ぼくたち**人類の物質世界についての常識は、ほとんど化学反応から学んだ**ものなのだ。

　しかし、このような常識は原子核が変化する現象にはまったく通用しない。化学反応に伴うエネルギーと比べて、原子核の変化に伴うエネルギーが何百万倍、何千万倍と桁違いに大きいからだ。関与しているエネルギーの大きさは、現象の「生じやすさ」を決めるもっとも大事な鍵になる。化学反応と原子核の変化では、生じ方が根本的に違うというのは、疑う余地のない事実なのだ。

　化学反応での常識が通用しない重要な例は、放射性物質の崩壊だ。2.3 節で、放射性物質の量が半減期の法則に従って徐々に減っていくということを説明した。この説明にさらに付け加えるべきなのは、**このような放射性物質の減り方を人工的にコントロールするのはほとんど不可能**ということだ*34。

　直感的に考えて、たとえば、放射性物質をガンガン冷やしてやれば崩壊が止まるのではないかとか、温度をものすごく高くすれば崩壊が早まって素早く分解できるのではないかといった疑問を感じた人は少なくないだろう。あるいは、うまい薬品や微生物を使うことで、放射性物質を無害にできないかというアイディアもあっただろう。しかし、このような方法では決してうまくいかない。なぜなら、「温度を変えれば反応の速さが変わる」、「適切な薬品（触媒）で反応が制御できることがある」、「微生物が反応を促進することがある」といった「常識」は、いずれも化学反応についての膨大な経験から学んだものだからだ。化学反応についてならこれらは正しい。しかし、何百万倍のエネルギーが関与す

---

*34　**理系読者向けの注意**：加速器など特殊な施設を用いてある程度のコントロールをする可能性はあるが、実用的な技術と言える段階ではないと思う。

る原子核の変化には、まったく当てはまらないのだ。

　だから、煮沸消毒しても、焼却炉で燃やしても、微生物に食べさせても、放射性物質を分解して無害な物質に変えることはできない*35。放射性物質が自分で勝手に崩壊してくれるのを待つしかない。それだからこそ、放射性物質は「やっかい」なのだ。

---

*35　時々、「放射性物質を分解して無害な物質に変える細菌が見つかった」なんていうニュースがある。本当ならうれしいけれど、もちろん、そんなことはあり得ないと思っていい。上に書いたように、生命は化学反応は利用しているけれど、原子核の変化を利用するのはエネルギー的に絶対に無理だからだ。「それでも可能性はゼロじゃない」と言えばまあそうかもしれないけれど、もしそんなことがあれば歴史に残るすごい科学の革命になる。ノーベル賞級なんていうレベルじゃなく、新たな研究分野が誕生し、関連する研究ですごくたくさんのノーベル賞が出るレベル。

　一方、(具体的にいい生物がいるかどうかは別として) セシウムを好んで取り込む生物を使って汚染された土などからセシウムを分離しようというアイディアは不可能とは言えない。ただし、この場合も、生物は通常のセシウムと放射性セシウムを区別できないから、通常のセシウムも放射性セシウムもいっしょに取り込んでしまうことに注意。さらに、セシウムを取り込んだあとの微生物を何らかの方法で回収し、放射性セシウムをどこかに保管しておく必要がある。

第3章
原子力と原子力発電所事故

この章では、原子力の原理をごく簡単に説明し、それから、福島第一原子力発電所でいったい何がおきたのかを解説する。ただし、この本では原子力発電そのものについて詳しく議論するつもりはないので、あくまで、ぼくたちに及んだ（あるいは、これから及ぶかもしれない）影響を理解するために必要な事柄だけを取り上げる。

3.1 原子力発電とは何か

■**原子力についてもっとも重要なこと**　2.1 節で、ぼくらの身のまわりで物質が普通に変化するとき、原子の真ん中にいる原子核は「ビクともしない」ことを説明した。原子力というのは、一言でいえば、**普段は「ビクともしない」原子核を次々と分裂させてエネルギーを取り出す技術**だ。それを利用した爆弾が原子爆弾で、それを利用した発電所が原子力発電所というわけだ。

「原子核を次々と分裂させてエネルギーを取り出す」というのは、化学反応などとは本質的に違う現象だ。実際、地球上では（原子爆弾や原子力発電でおきているような）核分裂の連鎖反応が自然に生じることはなかった[*1]。20 世紀に原子核の物理学についての理解が進んだところで「こういう反応ができるぞ」と気づいた物理学者たちがいて、その後の努力の結果、核分裂の連鎖反応が人工的に実現されたのだ。

2.5 節で強調したように、原子核が変化するときには、化学反応に比べて、桁違いに大きなエネルギーが出入りする。そういう意味で、原子力は人類が持って

[*1]　実は、大昔に地下で核分裂反応が自然に生じていた痕跡がある。

いる他の技術とはずいぶんと違っている。ぼくら人類が化学反応を使いこなす中で身につけてきた「常識」がまったく通用しない現象を利用した技術なのだ[*2]。

■ **ウランの核分裂の連鎖反応**　原子力の基本になるのは、図 3.1 に示したウラン 235（$^{235}_{92}\text{U}$）の核分裂だ。まず、ウラン 235 の原子核に中性子が衝突する。中性子はウランの原子核をすり抜けていってしまうことも多いが、十分に速度が遅いと、かなりの確率でウラン 235 の原子核に吸収される。しかし、中性子を吸収したウラン 235 の原子核はきわめて不安定で、すぐに、二つの原子核に分裂する[*3]。分裂したあとの原子核の組み合わせは決まっておらず、いろいろな種類の原子核が出てくる。よく名前を聞くヨウ素 131、セシウム 137、ストロンチウム 90 などもウランが分裂して作られる。

　このようにウランが核分裂するとき、原子核 1 個あたりおおよそ 2 億 eV（電子ボルト）のエネルギーが放出される[*4]。たとえば、水素分子 2 個と酸素分子 1 個が反応したときに発生する 5 eV のエネルギーと比較すると、おおよそ 4 千万倍だ！　ウラン 1 個の分裂で出てくるエネルギーは（日常的な感覚からすれば）ごくわずかだが、たくさん集めると、すごいエネルギーになる（詳しくは付録 A.1 を参照）。発電や爆弾では、核分裂をたくさんおこすことで、そのエネルギーを利用しているのだ。

　核分裂をたくさんおこすための鍵になるのが、連鎖反応だ。図 3.1 にも描かれているが、ウランが分裂すると、原子核の他に何個かの中性子が飛び出してくる。図では 4 個の中性子が出ているが、これは特に多い場合で、普通は 2, 3 個の中性子が出る。これらの中性子が別のウラン 235 の原子核にぶつかって吸収されれば、それらのウランも核分裂をおこす。すると、そのとき、また 2, 3 個の中性子が出る。それらの中性子が、また別のウランにぶつかって……という風に、次々と核分裂をおこさせるのが「核分裂の連鎖反応」である。核分裂

[*2]　「常識が通用しないから、原子力は悪だ」といった短絡的な話をするつもりはない。実際、火を使うことにしても、最初の頃は（それまでの）常識は通用しなかっただろう。

[*3]　**理系読者向けの注意**：中性子を吸収したウラン 235 は（通常の）ウラン 236 とは異なるエネルギーの高い状態である。本文では省略したが、中性子を吸収したウラン 235 の 17 ％ は、分裂せず、ガンマ線を放出して（長寿命の）ウラン 236 に変化する。

[*4]　**理系読者向けの注意**：このエネルギーのほとんどは二つの原子核の運動エネルギーになる。

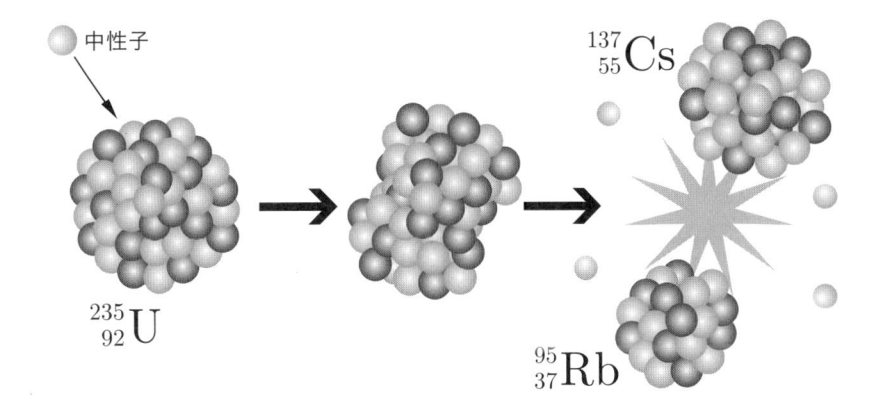

図 3.1 ウラン 235 の核分裂の様子。ウラン 235 が中性子を吸収すると不安定になり、すぐに二つの原子核に分裂する（この図では、お馴染みのセシウム 137 が作られる反応を示した）。この際にだいたい 2, 3 個の中性子が外に飛び出してくる。この核分裂を次々と連鎖的に引きおこすのが、核分裂の連鎖反応だ。

の結果として出てくる中性子を、次の核分裂の「引き金」にしようという、なかなか巧みなアイディアだ。

■ **原子爆弾と原子力発電**　ウランの核分裂の連鎖反応が一気におきると、短時間に大量のウランが分裂して膨大なエネルギーが放出される。これが **原子爆弾**（略して、原爆）の原理だ。ご存知のように、通常の火薬による爆弾とは比較にならない、怖ろしい爆弾になる。

　実は天然のウランの 99 パーセント以上は核分裂をおこさないウラン 238 で、原子爆弾や原子力発電所に使えるウラン 235 は 0.7 パーセント程度しか存在しない。ウランの核分裂の連鎖反応を一気におこすためには、ほとんどウラン 235 だけを含んだ核燃料が必要になる。原子爆弾を作るためには、きわめて面倒でお金のかかるプロセスで、天然のウランからウラン 235 だけを分離しているのだ。

　一方、**原子力発電**では、ウランの核分裂の連鎖反応を一気におこすのではなく、原子炉の中で「じわじわ」と引きおこす。一回の核分裂で放出された 2, 3 個の中性子の内、平均で 1 個が別のウラン 235 に吸収されて次の核分裂を引きおこすように調整して、核分裂が大きくなり過ぎず、かといって止まってしまわない「ぎりぎり」の状態を作り出すのだ。このような、連鎖反応が「ぎりぎり」で続いていく状態のことを **臨界状態**、あるいは、臨界と呼ぶ。

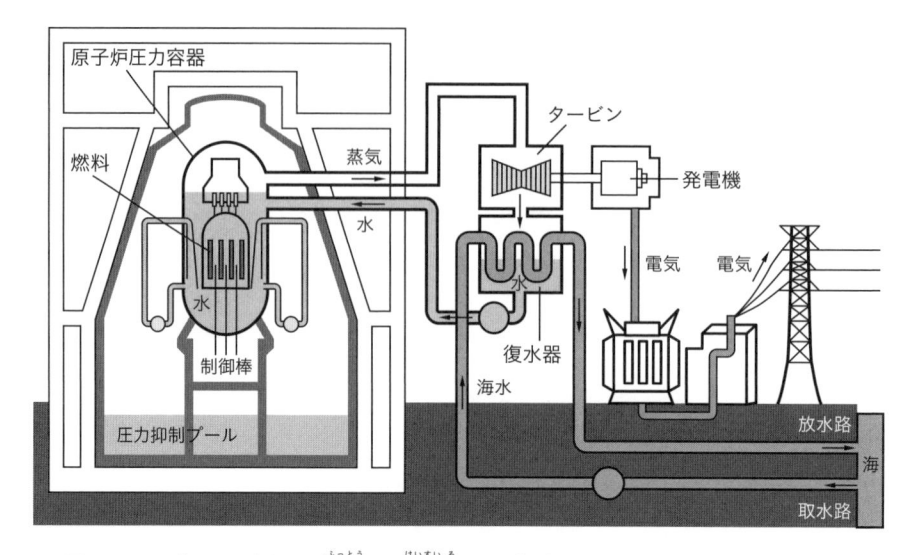

図3.2 原子力発電の仕組み（沸騰水型軽水炉の場合）。「燃料」のところでウラン235の核分裂の連鎖反応が生じている。核分裂から得られるエネルギーをそのまま電力に変換する方法はないので、発生した熱によって水を沸騰させ、その勢いでタービンをまわし、その回転を発電機によって電気に変える。最先端の原子力と言っても、熱を回転に変えるところでは蒸気機関の時代と同じ手法を使っているのだ。核分裂で発生したエネルギーのうち、電力に変換されるのは約3割で、残り7割は廃熱として海などに捨てられる。下記の東京電力webページをもとに、東京電力の許可を得て新たに作図。
http://www.tepco.co.jp/ir/kojin/generation/nuclear-j.html

　原子力発電では、臨界を維持することで、大爆発をおこすことなく一定のエネルギーを外に取り出すのである（原子力発電の仕組みについては、図3.2を見よ）。そのため、原子力発電所で使われるウランの燃料（核燃料）には、核分裂をおこさないウラン238もかなり混ざっている。原子爆弾と原子力発電では、「燃料の純度」が違うのだ。

■ **原子力発電の「やっかいな」点**　原子力発電は、原理的に「やっかいな」二つの問題を抱えている。

　一つ目は、放射線だ。ウランの核分裂がおきる際には、中性子線をはじめとした放射線がどんどん飛び出してくる。だから、核分裂の連鎖反応がおきている原子炉の核燃料は、すさまじい放射線源となる。運転中の原子炉は、外に放射線を出さないよう、厳重に分厚い壁で覆わなくてはいけないのだ。

　二つ目のやっかいな問題は放射性廃棄物である。ウラン235が核分裂すると様々な原子核が作られるが、これらはすべて（中性子が多すぎてバランスの悪

い）不安定な原子核なのだ。核分裂の連鎖反応の目的はエネルギーを取り出すことなのだが、連鎖反応のあとには、かならずこれらの不安定な原子核、つまり放射性物質が残ってしまう（2.3 節を見よ）。このように核分裂の結果として作られる放射性物質のことを一般に**核分裂生成物**という。

つまり、**原子爆弾でも、原子力発電でも、連鎖反応が終わったあとの「燃えかす」には放射性核種が含まれている**のだ。特に原子力発電所の場合は、この「燃えかす」を**放射性廃棄物**と呼んでいる[*5]。

放射性廃棄物は、放射性物質なので、崩壊の法則に従って放射線を出し続ける。放射線は大きなエネルギーを持っているが（2.2 節）、そのエネルギーは最終的には熱エネルギーに変わる。つまり、放射性廃棄物は熱を出すということだ。これを崩壊熱と呼ぶ。2.5 節でも強調したように、放射性物質の崩壊を人工的にコントロールすることはほぼ不可能だ。半減期の短い放射性物質はある程度の時間が経てば消えていくが、半減期の長いものは何年間も何十年間も放射線と熱を出し続ける。実に「やっかい」だ。

3.2 福島第一原子力発電所での大事故

2011 年 3 月 11 日の大地震とそれに続く津波のために福島第一原子力発電所で歴史的な大事故がおきた。この本では、事故の詳しいところには踏み込まず、特に重要なところだけをざっと眺めておくことにしよう。

■**事故の概要** 原子力発電所で考えられる最悪の事故は、ウランの核分裂の連鎖反応が止まらなくなって、ものすごい爆発をおこし大量の放射性物質をまき散らしてしまうことだろう。今回は、大地震の直後、福島第一原子力発電所の原子炉にはすべて制御棒が差し込まれ、ウランの核分裂の連鎖反応は停止した[*6]。

[*5] **理系読者向けの注意**：原子力発電の「燃えかす」には、お馴染みになったセシウム 134（付録 B.4 を参照）や種々の超ウラン元素（ウランよりも質量数の大きい元素）のように、核分裂生成物ではない放射性物質も含まれている。半減期が長い超ウラン元素は、放射性廃棄物の扱いを「やっかい」にしている大きな原因だ。

[*6] 制御棒というのは、中性子を吸収することで核分裂の連鎖反応を止めるための仕掛け。図 3.2 も参照。

図3.3 2011年3月16日に空中から撮影した福島第一原子力発電所3号機（写真提供：東京電力）。

　これは計画通りだった。「最悪の事態」だけはまぬがれたというわけだ。

　だが、それ以外はことごとくダメだった。

　すぐ上で見たように、連鎖反応が止まったあとにも、原子炉には放射性物質がかならず残る。そして、放射性物質は、半減期の法則に従って崩壊しながら、放射線と熱（崩壊熱）を出す。これをそのまま放置しておくと、燃料棒（核分裂させるウランなどを固めて作った棒）の温度がどんどん上昇し、さまざまなトラブルの原因になる。だから、たとえ連鎖反応が停止したあとでも、燃料棒を冷やし続けなければならないのだ。

　ところが、今回の事故では冷却のための電源と水が失われたため、燃料棒を冷却できない時期があった。この際に燃料棒の温度が異常に上昇し、燃料棒が熔け落ちてしまった。有名になった「メルトダウン（炉心溶融）」だ。熔け落ちた核燃料がどんな風になって、原子炉のどのあたりに落ちているのかは今のところ誰にもわかっていない。

　核燃料からの（正確には、核燃料に残った放射性物質からの）異常な発熱のため、核燃料を閉じ込めていた原子炉圧力容器（図3.2を見よ）にも穴があいたと考えられている。さらに、原子炉の中で発生した水素が建屋（原子炉などが収められている建物）に充満して爆発をおこし[*7]、建屋や原子炉の一部が破壊された。この爆発は水素爆発と呼ばれている。これら一連の出来事の結果として、**大量の放射性物質が原子炉の外に出て周辺にばらまかれてしまった。**特に

[*7] これは、2.1節で見た、水素と酸素が結合して水ができる化学反応だ。いわゆる「普通の爆発」であって、原子爆弾のような「核爆発」とはちがう。

大量に放出されたのは、キセノン133という希ガスの放射性物質である[*8]。これに伴って原子炉周辺での放射線は異常に強くなった。

2.4節で見たように、放射線は空気中を進むと弱まるので、原子力発電所から1キロメートルも離れれば、原子炉やその近くの高濃度の放射性物質から出てくる放射線の影響を心配する必要はない[*9]。一方、放射性物質は、不安定な原子核からできているというだけで、あくまで「もの」である。放射性物質がどういう状態で原子炉から外に出てくるかにもよるが[*10]、場合によっては、原子力発電所から遠くまで運ばれる可能性がある。

実際、2011年3月には、福島第一原子力発電所から放出されたヨウ素131、セシウム134、セシウム137などの放射性物質が風に乗って遠くまで運ばれ、雨とともに地面に降り注いだ。その結果、原子力発電所から30キロメートル以上も離れた土地まで、放射性物質でひどく汚染されてしまった。しかし、**汚染がこの程度におさまっているのはまだ「まし」だった**と考えなくてはいけない。事故発生のすぐあと、原子炉からもっとも激しく放射性物質が漏れていた頃には、福島付近では西風が吹いていて、放射性物質はほとんどすべて海に向かって運ばれていったのだ。もしこのときに陸に向かう風が吹いていたら、はるかに広い地域がもっともっと激しく汚染されてしまっていたはずである。想像するだけで怖ろしいことだ。

■ **冷却作業はずっと続く** 原子炉に残った放射性物質からの発熱（崩壊熱）は、最初の頃よりはずっと弱くはなったが、今も続いている。発熱は、放射性物質が半減期の法則に従って崩壊し、ほとんどなくなってしまうまで、何十年間もつづく。発熱量は放射性物質の量が減るのと同じように着実に減っていくけれど、発熱を止める方法はないし、崩壊を速める方法もない。ひたすら冷やしながら放射性物質が減っていくのを待つしかないのだ。

[*8] キセノンは他の物質と反応せず気体のままなので、ほどなく大気中に拡散していった。
[*9] 原子力発電所の現場で作業する人たちにとっては、放射線の影響は大きな問題になる。
[*10] **理系読者向けの注意**：放射性物質がどのような状態をとるかは、元素の化学的な性質から決まる。2.2節の最後で注意したように、化学的な性質に関しては、放射性同位元素も安定な元素もほとんど変わらない。たとえばセシウムはきわめて反応性の高い元素なので、通常は、単体で存在することはなく、何らかの化合物の状態をとる。

原子炉とは別に、原子炉の近くのプール*11 の中に「使用済み核燃料」が保管してある。使用済み核燃料というのは、ウランを使い切ったあとの燃料棒のことで、大量の放射性物質を含んでいる。これも崩壊熱を出し続けるので、せっせと冷やし続けないといけない。

原子炉や使用済み核燃料に水をかけて冷やしていれば、「火が消える」みたいに「崩壊が止まって」おとなしくなるんじゃないかという気がするかもしれない。しかし、2.5節で強調したように、そういった「化学反応での常識」は放射性物質には通用しない。冷やそうが冷やすまいが、崩壊は同じように続き、発熱は（着々と減ってはいくが）何年も続く。それでも一生懸命に冷やしているのは、冷やさずに放っておくと原子炉や使用済み核燃料の温度が異常にあがって新たな事故を引きおこしてしまうからだ。現場での崩壊熱との闘いはずっと続いてきたし、これからもまだまだ続くのだ。応援しよう！

また、原子炉を冷やすのに使った水は放射性物質に汚染されるので、外に捨てずきちんと保管しておかなくてはならない。しかし、当然ながら、汚染された水の量はどんどん増えていった。いつの間にか、ためておいたはずの水が漏れて、海水（そして、おそらくは地下水）を汚染するという事故も発生した*12。

■ **再臨界** について　今、原子炉の中ではウランの核分裂の連鎖反応は止まっている。たまたま条件が整って再び連鎖反応が始まることを「再臨界」と言う。

運転中の原子炉でおきているような連鎖反応が本当に始まってしまったら実に危険だ。これまでとは桁違いの発熱が生じて容器がさらに壊れてしまう可能性があるし、（生物にとって、もっとも危ない）放射性ヨウ素を始めとした放射性物質がまた新たに作られてしまうからだ。

---

*11　文字通り、ぼくらが泳ぐプールみたいなところに水がたまっている施設。
*12　2011年7月以降は、原子炉から出てきた汚染水をある程度きれいにして、その水をまた原子炉を冷やすのに使う「循環注水冷却」という方法で原子炉や使用済み核燃料プールを冷やせるようになった。これで汚染水が限りなく増えていく心配はなくなったが、それでも、汚染水を浄化するときにフィルターが放射性物質に汚染されてしまう。そのフィルターの処理は大きな問題だ。また、冷却のためのしかけも、かなり急ごしらえのものだから、トラブルや故障は多いようだ。実際、2011年9月には、「循環注水冷却」に移行したあとも、かなりの量の汚染水が地下に漏れだしていることが報告されている。これから先もまだまだ大変そうだ。

図3.4 爆発で外壁の吹き飛んだ福島第一原子力発電所 4 号機の様子（写真は IAEA (fact finding team) による）。G. Webb/IAEA

ただ、そういう「本格的な再臨界」がおきる可能性は考えなくてよいというのが専門家の一致した意見のようだ。そもそも原子炉を普通に運転して連鎖反応をおこすためには、何本もの燃料棒を水中にちょうどよい間隔できちんと並べてやる必要がある。このバランスが狂ってしまうと連鎖反応は続かないのだ。だから、熔け落ちた核燃料の中でたまたま連鎖反応が始まったとしても、連鎖反応に適した状態がずっと続くとは考えにくい。原子炉を通常運転しているときのように連鎖反応がずっと続く可能性は無視してよいとぼくも思う。

■「冷温停止状態」になって事故は「収束」したのか　2011 年 12 月 16 日、政府（より正確には、原子力災害対策本部）は、事故をおこした福島第一原子力発電所の原子炉が「冷温停止状態」になったとして、「原子炉は安定状態を達成し、発電所の事故そのものは収束に至った」と宣言した。

しかし、これは、ほとんど中身のない「言葉遊び」に過ぎない。どう考えても、**原子力発電所事故はまったく収束などしていない**。どんなに言葉巧みに説明しようと、あるいは、それで人々を納得させたとしても[*13]、それによって事故の現実が変わるわけではないのだ。

「冷温停止」というのは、普通は、運転を停止した原子炉の燃料棒の温度が 100 度以下まで下がった状態を言う。当然、原子炉はあるべき姿をしていて、通常の冷却システムが動いていて、温度計などの測定計器もちゃんと動作していることを前提にした言葉だ。そういう状況であれば、確かに「冷温停止」は原子炉が「安全に止まった」という一つの目安になる[*14]。

---

*13 たぶん、みんな納得していないと思うけれど。

事故から1年以上が経ち、現場で働く人たちの決死の努力のおかげで原子炉は安定してきたように見える。原子炉の温度もかなり下がって安定してきたし、原子炉をカバーで覆って安全にする作業も進められている。

　しかし、事故をおこした1, 2, 3号炉では、燃料棒は熔け落ち、圧力容器は破損し、中の様子がどうなっているのか誰にもわからないのだ。初期に比べればずっと少ないとはいえ、今でも壊れた原子炉からは放射性物質が外に漏れ続けている。冷却システムは急ごしらえの不完全なものだし、（そもそも中の様子がわからないくらいだから）燃料棒の正確な温度などわかるわけもない。さらに言えば、原子炉の近くは、放射線がきわめて強く、人が長いあいだ作業できる環境ではない。そのため、福島第一原子力発電所での最近の工事は、すべて限られた時間の中で応急処置的に進められている。じっくりと安全な設計をして時間をかけて施工するのとはまったく話がちがうのだ。

　そのような「ボロボロの原子炉」について「冷温停止」とはどういうことなのだろう？　なんらかの方法で推測した燃料棒の温度が100度以下になることを言っているのだろうが、それは、本来の意味での「冷温停止」とはまったく別の状況だ[*15]。中の様子もわからず、冷却システムも不完全で、核燃料を安全に処理する見通しもないまま、勝手に「冷温停止状態」を宣言したとしても、安全が確保されることにはならない。

　原子炉の調子が急に悪くなって暴走して爆発をおこすといった可能性は今ではかなり小さくなったと思う。けれど、また大きな地震や津波におそわれるという（あり得ないとは決して言い切れない）事態を考えると、まったく安心はできない。仮ごしらえの冷却システムやカバーが大災害に耐えられる保証はないし、爆発でダメージを受けた建屋が崩れるおそれもある。そうすると、またしても放射性物質が周囲にまき散らされてしまう可能性がある。過度に悲観的になることはないが、そういう事態もありうることは頭に置いておくべきである[*16]。

[*14]　ただし、冷温停止のあとも燃料棒からの発熱は続くので、冷却は必要。
[*15]　それだから政府は「冷温停止『状態』」という新しい言葉を作ったのだろうか??
[*16]　実際、2011年9月には、原子力発電所の配管の中に水素ガスがたまっているのが発見された。爆発などの大事には至らなかったが、こういう「予想外の危険」はこれからも生じると思っているべきだろう。

第4章
放射線の被曝と健康への影響

これは、長く、重要な章だ。放射線の被曝(ひばく)がぼくたちの健康にどのような影響を与えるかについて、何がわかっていて、何がわかっていないかを、できるかぎり客観的(きゃっかんてき)に解説する。生物学的なメカニズム、疫学(えきがく)調査の結果、さらに、ICRP が提唱(ていしょう)する「公式の考え」などについて、かなりのページ数を使って述べる。確率的(かくりつ)におきる出来事(でき)についてどう考えればいいかという点にもページを割(さ)いた。すっかりお馴染(なじ)みになった「ミリシーベルト」や「マイクロシーベルト毎時(まいじ)」も登場する。

4.1　放射線の被曝

人が放射線を浴(あ)びることを「**被曝(ひばく)する**」という。爆弾にやられることを表わす「被爆(ひばく)」と似ていて読み方も同じ「ひばく」なのでややこしいが、この二つの言葉はちゃんと使い分けなくてはいけない。

被曝には大きく分けて二種類ある（図 4.1）。体の外にある何らかの放射線源(げん)

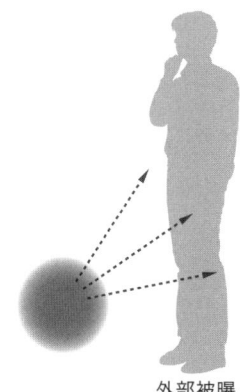

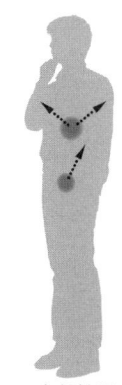

図 4.1　体の外の放射線源（たとえば、放射性物質）からの放射線を浴びるのが外部被曝（左）、体の中に空気や食物といっしょに入った放射性物質からの放射線を浴びるのが内部被曝（右）。

（たとえば、放射性物質）から出ている放射線を浴びることを**外部被曝**という。これに対して、放射性物質を（空気といっしょに吸い込んだり、水や食べ物といっしょに飲み込んだりして）体に取り込み、自分自身の体の内部から出る放射線を浴びることを**内部被曝**という。

手始めに、外部被曝、内部被曝それぞれについて、一般的なことと原子力発電所事故以降の状況を簡単に見ておこう。

■ **外部被曝**　ぼくらは、原子力とは関係なく、地面の放射性物質から出ている放射線や、空から降り注いでいる放射線を浴びて外部被曝している。また、X線撮影やCTスキャンの際にもかなり外部被曝する。これらについては、4.2節の最後（特に、表4.3、表4.4）で詳しく見る。

2011年3月の原子力発電所事故の後は、東日本の広い範囲の地面に放射性物質が降り注いだため、それらが出す放射線を浴びることで、これまでになかった外部被曝をするようになった。事故のすぐ後、原子力発電所に比較的近い地域では、キセノン133、ヨウ素131などの半減期が短めの放射性物質からの外部被曝もあった。しかし、**事故から1ヶ月以上過ぎた頃からは、外部被曝の主な原因はセシウム134とセシウム137からの放射線**になった。これら放射性セシウムによる外部被曝は、この先、何年間も続く。より具体的なことは、「応用編」の5章で扱う。

2.4節で見たアルファ線、ベータ線、ガンマ線のうち、アルファ線とベータ線は空気中を少し進むだけでたちまち弱くなって（実質的には）消えてしまう。また、ベータ線はたとえ体にあたってもほとんどが皮膚に吸収されてしまう。皮膚は体の中でも特に被曝に対して強いので、ベータ線の外部被曝は通常は問題にならない。

少なくとも今の日本では、**外部被曝については、ガンマ線だけが問題になる**と考えてよい。体にあたったガンマ線のだいたい半分は、体の中の原子と衝突しないで、そのまま体をすり抜けていってしまう。体をすり抜けると聞くと気持ちがわるいが、実際には、このようなガンマ線は体にはまったく害を及ぼさない。体に入ったガンマ線のうち、体をつくっている原子と衝突して電離作用（2.4節の最初を見よ）をおこしたものだけが、生体分子を壊して体に悪さをするのだ。

■ **内部被曝** ぼくらが口にする天然の食品にはカリウム 40 という放射性物質が含まれている。そのため、人間の体の中にはいつでも一定量のカリウム 40 があり、ぼくらはそれによって内部被曝している（6.3 節を見よ）。また、大地の底から染み出てくるラドンという気体も放射性物質だ。特に地下室などにはラドンがたまっていることがあり、それを空気といっしょに吸い込むことで、体内にラドンが入り、ぼくらは内部被曝する[*1]。これらについては、4.2 節の最後（特に、表 4.3、表 4.4）で見よう。また、体内のカリウムについては 6.3 節で詳しく取り上げる。

2011 年 3 月の事故で放出された大量の放射性物質の一部は、人の体内に入って新たな内部被曝を引きおこした。

特に、初期にもっとも深刻な課題だったのは、**ヨウ素 131 による内部被曝の可能性**だ。体内に取り込まれたヨウ素 131 は甲状腺に取り込まれ蓄積されるため[*2]、甲状腺を中心に強い内部被曝を引きおこす。1986 年のチェルノブイリの原子力発電所事故の後、周辺の地域で子供の甲状腺癌が増えたことがわかっている[*3]。これは、子供たちがヨウ素 131 に汚染された牛乳を初期の数ヶ月のあいだ飲んでいたからだと考えられている。

福島第一原子力発電所の事故の場合は、初期に空気中に放出されたヨウ素 131 を吸入する可能性と、飲料水や食品[*4] などに混ざったヨウ素 131 を摂取した可能性があった。ただ、2011 年 3 月末に福島で行なわれたスクリーニング検査の結果を見るかぎり、福島でのヨウ素 131 による内部被曝は、チェルノブイリ

[*1] ラドンによる内部被曝は肺癌の大きな要因と考えられている。
[*2] これは、甲状腺がヨウ素を必要としているから。生物の体は、通常のヨウ素（ヨウ素 127）と放射性同位元素（今の場合はヨウ素 131）を区別できない。2.2 節を見よ。
[*3] といっても（一部で誤って伝えられているように）子供たちが次々と甲状腺癌になったわけではない。たとえば、ベラルーシとウクライナの約 160 万人の子供のうち、1990 年から 2001 年のあいだに甲状腺癌を発症したのは約 1000 人である。もともとものすごく稀な病気なので、この程度の発症率でも被曝の影響がはっきりとわかるということだ。また、ベラルーシ、ウクライナ、ロシアで、チェルノブイリの事故で幼いときあるいは若いときに被曝し、1986 年から 2002 年までに甲状腺癌にかかった約 5000 人のうち、不幸にして亡くなったのは 15 名である。E. Cardis et al., J. Radiol. Prot. **26**, 127 (2006) による。
[*4] 特に、自分の家の畑でとれた野菜などが心配。

周辺に比べると、桁違いに小さい*5。**最悪の事態は免れた**と言っていいと思う。ただ、それで安心してしまって話を終わらせていいというものではない。今後も、健康被害が出ないかどうかきめの細かい検診が必要だ。この問題については、本の最後の 7.1 節で再び取り上げる。

　一方、事故から 1, 2ヶ月が経った後では、半減期が 8 日のヨウ素 131 の影響は小さくなり、放射性セシウムによる内部被曝の可能性が重要な問題になる。これについては、「応用編」の 6 章で別個に扱う。

　ガンマ線が特に重要な外部被曝とは違って、**内部被曝にはすべての種類の放射線が関わってくる**。放射線源（放射性物質）が体内にあるからだ。たとえば、放射性セシウムが体の外にあるときには、セシウムが崩壊する際に出るガンマ線だけが外部被曝に寄与するが、同じ放射性セシウムを体に取り込んでしまうと、ガンマ線とベータ線の両方から内部被曝を受ける。さらに、アルファ線は生物の細胞を激しく傷つけるので、内部被曝に大きく寄与することが知られている。

■ 内部被曝は特に危険なのか　「内部被曝では、体の中に放射性物質が入って、体の内側から放射線を浴びる」という説明を聞いて、外部被曝に比べると何か怖ろしく「危ない話」のように感じてしまうことがあるようだ。たとえば（実は、これは不適切な「たとえ」なのだけれど）爆弾が爆発することに置き換えると、体から離れたところで爆発すれば（もちろん十分に怖いけれど）まだ何とかなりそうだが、たとえば（どうやって入れたのかは知らないが）お腹の中で爆発すればもうおしまいだ。それと同じだと思えば（実は、同じではないのだが）、確かに、内部被曝は圧倒的な破壊力を持っているという話になってしまいそうだ。

　けれど、ここでも、「放射線に常識は通用しない」ということを忘れてはいけない。もちろん内部被曝が安全だなどと言うつもりは絶対にないが、爆弾の「たとえ」とは話がまったく違うのだ。

---

*5　この調査の詳細については、ぼくの解説「2011 年 3 月の小児甲状腺被ばく調査について」をご覧ください。http://www.gakushuin.ac.jp/~881791/housha/details/thyroidscreening.html

そもそも知っておかなくてはいけないのは、外部被曝だからといって放射線の威力が弱まっているわけではないということだ。空気中を飛んでくるガンマ線は、空気の分子とはほとんど衝突しないまま、放出されたときと同じエネルギーで、ぼくらの体に飛び込んでくる。そして、運が悪ければ体の中の分子に衝突し、生体分子に傷をつける（このあたりは、4.3 節で取り上げる）。

内部被曝の場合は、体のどこかに入った放射性物質からガンマ線やベータ線が飛び出る。ガンマ線はそのまま体に害を与えずに体の外に飛び出してくることも多いが、運が悪ければ、生体分子を傷つける。しかし、この「傷つけ方」は外部被曝の場合とまったく同じなのだ。ベータ線のほうは、体の中をある程度の距離だけ進んだところで、ほぼ確実に生体分子と衝突して傷をつける。この場合も、傷をつけるメカニズムは、ガンマ線の外部被曝の場合とほとんど変わらない。

つまり「放射線が電離作用をおこして生体分子を傷つける」という分子レベルでの出来事を見るかぎりでは、外部被曝にも内部被曝にも特段の差はないと言ってよい。別に「内部被曝が安全」というわけではなく、**内部被曝も、外部被曝も、ほぼ同じように危ない**ということだ。

ただし、**内部被曝には、外部被曝にない複雑さがある**のも事実だ。まず、上で書いたように、（外部被曝にはガンマ線だけが関わってくるのと違って）内部被曝にはアルファ線、ベータ線を含めたすべての放射線が関わってくる。さらに、外部被曝の場合は、放射線は体の外からやってくるので、体のどの部分にどれくらい放射線を浴びるかは、かなりはっきりしているわけだが、内部被曝の場合は、体の中のどの部分にどれくらいの放射性物質があるかによって、被曝の仕方は随分と変わってくる。ヨウ素が甲状腺に蓄積されて健康被害を生むことはすぐ上に述べた通りだ。あるいは、プルトニウムのような物質は小さな塊のまま体の中に入ってしまうことがあるとされる。そういう場合には、その塊の近くの体の組織が集中的に放射線を浴びるので、普通の被曝とは違った影響があるのではないかという見解もある。今後の内部被曝の中心になる放射性セシウムの場合は、水に溶けて吸収され、筋肉などにほぼ均等に分布してから排出されると考えられているので、外部被曝と大きく異なる健康被害はおこさないというのが主流の考えだ[*6]。

まとめれば、**内部被曝だからといって異常に怖ろしいと考えるべきではないが、外部被曝よりは複雑で理解し切れていないことがある**と考えておくのがいいということになる。

4.2 シーベルトとは何か

原子力発電所の事故以来よく目にするようになった「シーベルト」とは、「被曝による体へのダメージ」を表わすための単位だ。やはりよく目にする「ベクレル」は「放射性物質の量」を表わす単位だったことを思い出しておこう（2.3節）。ここでは、シーベルトに関わる重要なことがらを順を追って見ていく。

■**実効線量とシーベルト** 実効線量とは、**被曝によって体が全体として通算でどれだけのダメージを受けた（可能性がある）かを表わす量**だ。実効線量には、**外部被曝の実効線量**と**内部被曝の実効線量**の二つがあり、単に**実効線量**というときには、**これら二つの合計**のことを言う。つまり、

（実効線量）＝（外部被曝の実効線量）＋（内部被曝の実効線量）

ということ。

また、実効線量は、年間とか、一生涯とか、一定時間で通算した量を考える。正式には実効線量と言うべきところを**線量**、**被曝量**、**被曝線量**などと言うことも多い。

シーベルトは実効線量の単位で、記号は Sv だ。だから、「○○シーベルトの被曝」というときには、「○○」という数字に応じたダメージを体が受けた（かもしれない）という風に考えればよい。

ここでは実効線量やシーベルトの厳密な定義には踏み込まないが*7、十分に正確な説明をしようと思う。先走って一言で書いておけば、外部被曝の実効線量は線量計で測る空間線量率をもとにして求め*8、内部被曝の実効線量は取り

---

*6 といっても、もちろん、体内でのセシウムのふるまいが完璧に理解されているというわけではない。少し先の脚注 *14（48 ページ）を見よ。
*7 詳しい定義は、付録 B.2 で解説する。

込んだ放射性物質の量に実効線量係数（表 4.1, 4.2）をかけて求める。それぞれについての詳しい説明に入る前に、単位についての注意をしておこう。

■ **シーベルトに関連する単位**　すぐに 4.3 節で見るように、1 Sv（1 シーベルト）というのは、かなり大きな被曝量だ。これほど被曝する人は普通はそれほどいないので、もっと小さな被曝量を表わす単位があると便利だ。長さについても基本の単位のメートル（m）以外に、短い長さを測るためのミリメートル（mm）という単位を使うのと同じことだ。

　千分の 1 シーベルト、つまり 0.001 Sv を 1 ミリシーベルト（1 mSv）と呼ぶ。基本単位の Sv（シーベルト）の前に m（ミリ）をくっつけた単位が mSv（ミリシーベルト）ということだ。単位の換算は（これは特に意味のない例だが）、

$$0.034 \text{ Sv} = 34 \text{ mSv}, \quad 1250 \text{ mSv} = 1.25 \text{ Sv}$$

といった具合になる。「Sv で表わしたときの数値を 1000 倍すると、mSv で表わしたときの数値になる」あるいは「mSv で表わしたときの数値を 1000 で割ると、Sv で表わしたときの数値になる」と覚えていればいいだろう。「シーベルトとミリシーベルトの換算」は、お馴染みの「メートルとミリメートルの換算」と完全に同じ計算だ。

　さらに小さな被曝量を表わすために、百万分の 1 シーベルト、つまり 0.000001 Sv を 1 マイクロシーベルト（1 μSv）と呼ぶ。シーベルト（Sv）とマイクロシーベルト（μSv）を変換するということはそれほどないだろう。ミリシーベルト（mSv）とマイクロシーベルト（μSv）の変換は、上と同じように（これも特に意味のない例だが）、

$$0.027 \text{ mSv} = 27 \text{ μSv}, \quad 6780 \text{ μSv} = 6.78 \text{ mSv}$$

という風になる。「mSv で表わしたときの数値を 1000 倍すると、μSv で表わしたときの数値になる」あるいは「μSv で表わしたときの数値を 1000 で割ると、mSv で表わしたときの数値になる」ということだ。

---

*8　**理系読者向けの注意**：空間線量率を時間で積分する。

■ **外部被曝の実効線量** 何らかの原因で作られたガンマ線の流れに人が曝されているとしよう[*9]。この人は外部被曝している。

外部被曝している人が放射線から受ける（かもしれない）ダメージ、つまり、実効線量は、大ざっぱには、

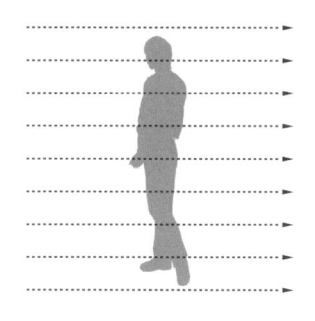

（放射線の強さ）×（放射線を浴びていた時間）

で決まると考えられる。確かに、同じ強さの放射線でも2倍の時間浴びていればダメージは2倍になりそうだ。また、浴びる時間が同じでも、放射線の強さが2倍ならダメージは2倍というのが自然だ。外部被曝による実効線量を定義するときには、この考えを前提にする[*10]。

2.4節で触れたように、「放射線の強さ」を**空間線量率**（略して、**線量率**、**空間線量**、**線量**とも呼ぶ）という量で表わす。空間線量率は、シンチレーションカウンターやガイガーカウンターのような線量計で測れる量で、標準的な単位はマイクロシーベルト毎時（μSv/h）である（ここに出てきたhはhourの頭文字で「時間」を表わす）。今までの話の流れからおわかりだと思うが、**1 μSv/hという強さの放射線を1時間のあいだ浴びていると、実効線量で言って、ちょうど1 μSv の外部被曝をする**ことになる[*11]。

もうちょっと計算が必要な例をとって、0.5 μSv/h の強さの放射線を24時間浴びるとすると、

$$0.5 \, \mu\text{Sv/h} \times 24 \, \text{h} = (0.5 \times 24) \, \mu\text{Sv} = 12 \, \mu\text{Sv}$$

となって、通算で12 μSv の被曝とわかる。あるいは、6 μSv/h の強さの放射

[*9] 4.1節で見たように、外部被曝の場合は（少なくとも今の日本では）ガンマ線のことだけを考えればよい。

[*10] **理系読者向けの注意**：つまり、「ダメージは線量（線量率の時間積分）に比例する」という線形性を仮定するということ。もちろん、生物学的影響が線形であるとはかぎらないので、これは自明とはほど遠い仮定だ。4.5節での「線形閾値なし仮説」についての議論を見よ。

[*11] 厳密に言うと、こうやって求まるのは、実効線量ではなく、線量当量という量なのだが、その違いを気にする必要はほとんどない。詳しくは、付録 B.2 を参照。

線を 2 時間浴びると、

$$6\,\mu\text{Sv/h} \times 2\,\text{h} = (6 \times 2)\,\mu\text{Sv} = 12\,\mu\text{Sv}$$

となり、この場合も通算で 12 μSv の被曝とわかる。つまり、体へのダメージは上の例と同じと考えられる。もっと「実用的」な計算を（かなり先になるが）5.3 節で見よう。

■**内部被曝の実効線量**　次に内部被曝の実効線量について説明しよう。実は、内部被曝の扱いは、外部被曝に比べるとずっとややこしい。要点だけを言えば、**内部被曝の複雑な影響を上手にまとめて、実効線量というたった一つの量で表わす**ということだ。この際、**実効線量が等しければ、内部被曝であっても外部被曝であっても、体が受ける（かもしれない）ダメージはだいたい等しくなるように工夫する**のである。だから、たとえば、0.6 mSv の内部被曝と 0.6 mSv の外部被曝では、体は（大ざっぱには）同程度のダメージを受ける（少なくとも、そういうことになっている）と考えてよい（図 4.2）。

内部被曝の影響を「上手にまとめた」結果は、実効線量係数という形で表わされている。実効線量係数については次の項目で詳しく見ることにして、ここでは内部被曝を取り扱うための基本的な考えを見ておこう。

ある人が、ある量の放射性物質を、たとえば水といっしょに摂取したとしよう。口から体内に入った放射性物質は、胃や腸から体に吸収されるだろう。そ

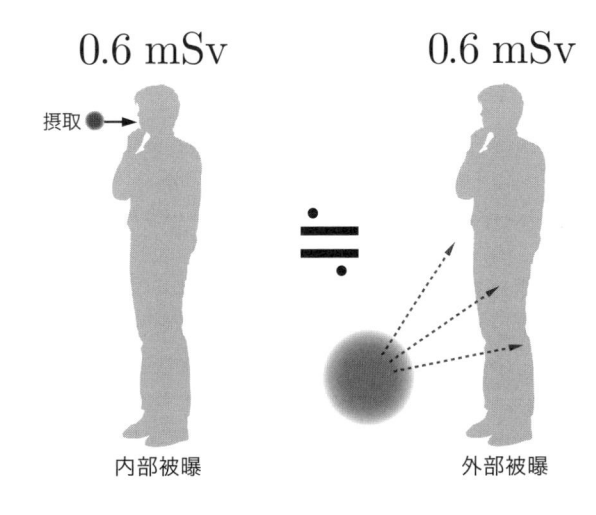

図 4.2　実効線量（単位は、たとえば、ミリシーベルト）が等しければ、内部被曝でも外部被曝でも、体全体として被曝から受けるダメージはだいたい同じとされている。そもそも、内部被曝の実効線量は、そうなるように決めた量なのだ。

して、体内での物質の流れに乗り、血管を通って体のいろいろな部分に送られていく。

　体内での物質の動きは物質の種類によって大きく異なっていることに注意しよう。体にはほとんど蓄積されずどんどん外に出ていってしまう物質もあれば、（ヨウ素が甲状腺に蓄積されるように）何らかの臓器に蓄積されるものもある。物質はそれぞれの性質にしたがって体内を動き、いずれは、体の外に排出されていく。このような物質の動きを**動態**と呼ぶ。

　放射性物質は、口から入って外に出ていくまでのあいだ、ずっと放射線を出し続けている。血管を通るあいだも、臓器に留まっているあいだも、筋肉の中にあるあいだも、ずっと（普通はごく少しずつだけれど）放射線を出し続けて、まわりの組織にダメージを与え続ける。外部被曝ならば、大ざっぱには、体全体がほぼ一様に放射線からダメージを受けると考えられるが、内部被曝の場合には、体のダメージの受け方はずっとずっとややこしいことがわかるだろう。

　内部被曝の実効線量を計算するときには、上で説明したプロセスをなるべく正確に再現することを目指す（図 4.3）。

　各々の放射性物質について、それをどのように（飲み食いか、呼吸か）摂取

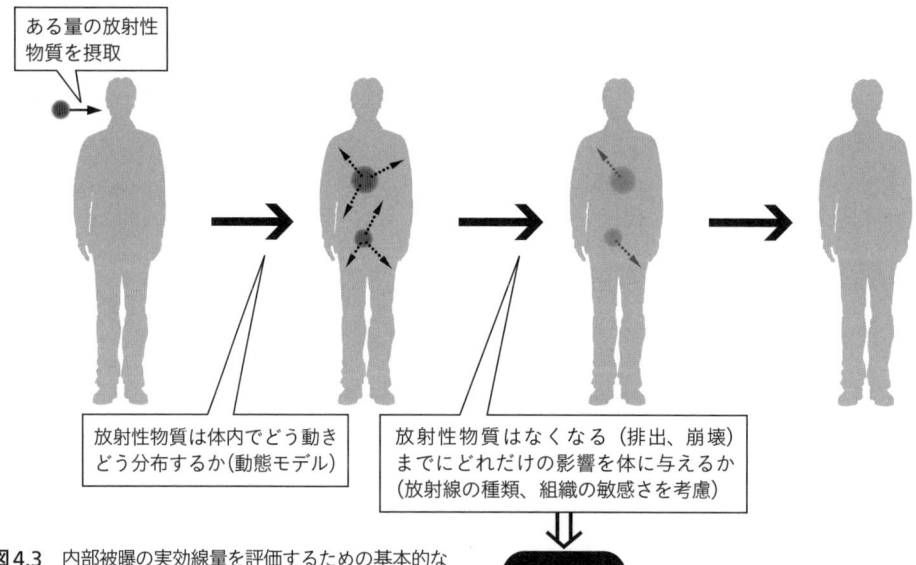

図 4.3　内部被曝の実効線量を評価するための基本的な考え方。体内での移動の様子は単なるイメージで、具体的な放射性物質や臓器を想定しているわけではない。

したとき、体の中の様々な部分をどのように動いていくかを表わした数学的なモデル（これを動態モデルと呼ぶ）が用意されている。動態モデルは、物質の種類だけでなく、人間の年齢や男女差も考慮にいれた、かなり複雑なモデルだ。

一定量の放射性物質を摂取したと仮定し、それが体の中をどのように動き、いずれは排泄されていくかを、動態モデルにもとづいて計算する。その間、放射性物質がどの程度の放射線を出すかは、物理の法則を使って正確に計算できる。すると、体の中の各々の臓器・組織が（放射性物質を吸入してから、それが排泄されるまでのあいだに）どの程度の被曝をするかも計算で求めることができる[*12]。最後は、各々の臓器・組織の放射線への敏感さも考慮しながら、すべての臓器・組織のダメージを合計して、体全体へのダメージを表わす一つの量、つまり**実効線量**を計算するのだ。

なお、こうして求めた実効線量は、放射性物質の影響がなくなるずっと先までの影響をすべて（事前に）取り入れた通算の被曝量になっている。そのことを強調するため、動態モデルを使って求めた内部被曝の実効線量を、**預託実効線量**と呼ぶこともある[*13]。ただし、実効線量を考えるときは、もともと（たとえば生涯での）通算の量を問題にするので、わざわざ「預託」ということを強調する必要はないと思う。

このような（預託）実効線量の計算では、動態モデルがどれくらい信頼できるかが大事な鍵になる。動態モデルは様々な研究にもとづいて慎重に作られているが、それでも、体内での動きがあまりきちんと知られていない物質もある。そういうときは、その物質についての動態モデルは不正確だし、内部被曝の実効線量の計算結果もあまり信頼できないということになる。ぼくらにとって重

[*12] ここで求めた各々の臓器の被曝量を等価線量という。この節の最後と付録 B.2 を参照。
[*13] 「影響がなくなるずっと先」として成人なら 50 年間、20 歳以下の子供の場合は 70 歳になるまでという期間が決められている。それを説明しようとして「預託実効線量は 50 年先までの被曝を考える」と書いてある解説も多いのだが、放射性のヨウ素やセシウムからの被曝を考えるかぎり 50 年とか 70 歳までという数字に意味はない。放射性ヨウ素の場合は、摂取してから 1 ヶ月もすればほぼ全ての放射性ヨウ素が崩壊して無害になってしまう（甲状腺にたまっていても問題はない）。放射性セシウムの場合は、（排出の遅い大人でも）摂取してから 3, 4 年もすればほとんどが体外に出てしまう。

要なヨウ素とセシウムについては、体の中での動きの実測データもあり、体内での動態が比較的よく理解されていると言われる。実効線量の値もかなり信頼できると考えてよさそうだ。

　そうはいっても、内部被曝の実効線量が、複雑な内部被曝によるダメージを、かなり強引に一つの数字にまとめたものであることに変わりはない[*14]。内部被曝の実効線量は、厳密な数字というよりは、ダメージの度合いを知るための「目安」と考えたほうがいい。具体的には、内部被曝の実際の線量は、標準の方法で求めた実効線量の半分であるとか倍であるとか、それくらいの狂いはあるだろうと考えているのがいいと思う。

■**内部被曝の実効線量係数**　このようにして求めた内部被曝によるダメージは、国際放射線防護委員会（ICRP）によって「公式」の換算表としてまとめられている[*15]。ICRPの表には、様々な放射性核種を1ベクレル（1 Bq）摂取したとき、その後々までの影響がどれくらいの実効線量（より正確には、預託実効線量）に対応するかが列挙されている。このような量は**実効線量係数**（単位はSv/Bq）と呼ばれる。代表的な核種について、食べ物や飲み物といっしょに摂取した場合の実効線量係数を表4.1に、空気といっしょに吸い込んだ場合の実効線量係数を表4.2に示した。

　この本の読者が、表4.1, 4.2の係数を使って自分で実効線量を計算するという機会はほとんどないだろう（セシウムによる内部被曝についてのもっと「実用的」な計算は6章で紹介する）。ここでは、雰囲気をつかむために簡単な例を見ておこう。10^{-9} のような「10のべき乗の書き方」を断りなく使うので、ご存知ない方は計算は読み飛ばしていただきたい（この書き方について知りたい場合は、付録A.2をどうぞ）。

[*14] また、実効線量の評価では、放射性物質が臓器全体に分布して、均一のダメージを与えると仮定しているが、それが不適切だという指摘もある。体の中の生体分子は、きわめて複雑にふるまうから、そこに放射性物質が紛れ込むことで、予期せぬ「悪さ」をする可能性はあるのかも知れない（ぼくには、よくわからないし、専門に近い人に聞いても、あまり意見は一致していないようだ。毎度のことだが、「すさまじい被害がある」可能性はないものの、「すべてが完全にわかっている」わけでもないということだ）。

[*15] ICRPについては4.5節を参照。

核種	半減期	3ヶ月	1歳	5歳	10歳	15歳	成人
ストロンチウム 89	50.5 日	3.6×10^{-8}	1.8×10^{-8}	8.9×10^{-9}	5.8×10^{-9}	4.0×10^{-9}	2.6×10^{-9}
ストロンチウム 90	28.8 年	2.3×10^{-7}	7.3×10^{-8}	4.7×10^{-8}	6.0×10^{-8}	8.0×10^{-8}	2.8×10^{-9}
ヨウ素 131	8.02 日	1.8×10^{-7}	1.8×10^{-7}	1.0×10^{-7}	5.2×10^{-8}	3.4×10^{-8}	2.2×10^{-8}
セシウム 134	2.06 年	2.6×10^{-8}	1.6×10^{-8}	1.3×10^{-8}	1.4×10^{-8}	1.9×10^{-8}	1.9×10^{-8}
セシウム 137	30.2 年	2.1×10^{-8}	1.2×10^{-8}	9.6×10^{-9}	1.0×10^{-8}	1.3×10^{-8}	1.3×10^{-8}
プルトニウム 239	2.41 万年	4.2×10^{-6}	4.2×10^{-7}	3.3×10^{-7}	2.7×10^{-7}	2.4×10^{-7}	2.5×10^{-7}
プルトニウム 240	6.56 千年	4.2×10^{-6}	4.2×10^{-7}	3.3×10^{-7}	2.7×10^{-7}	2.4×10^{-7}	2.5×10^{-7}

表 4.1　実効線量係数の例（経口摂取）　単位は Sv/Bq である。ICRP publ. 72 より。ただし、半減期は最新の値に差し替えた。

核種	半減期	3ヶ月	1歳	5歳	10歳	15歳	成人
ストロンチウム 89	50.5 日	1.5×10^{-8}	7.3×10^{-9}	3.2×10^{-9}	2.3×10^{-9}	1.7×10^{-9}	1.0×10^{-9}
ストロンチウム 90	28.8 年	1.3×10^{-7}	5.2×10^{-8}	3.1×10^{-8}	4.1×10^{-8}	5.3×10^{-8}	2.4×10^{-9}
ヨウ素 131	8.02 日	7.2×10^{-8}	7.2×10^{-8}	3.7×10^{-8}	1.9×10^{-8}	1.1×10^{-8}	7.4×10^{-9}
セシウム 134	2.06 年	1.1×10^{-8}	7.3×10^{-9}	5.2×10^{-9}	5.3×10^{-9}	6.3×10^{-9}	6.6×10^{-9}
セシウム 137	30.2 年	8.8×10^{-9}	5.4×10^{-9}	3.6×10^{-9}	3.7×10^{-9}	4.4×10^{-9}	4.6×10^{-9}
プルトニウム 239	2.41 万年	2.1×10^{-4}	2.0×10^{-4}	1.5×10^{-4}	1.2×10^{-4}	1.1×10^{-4}	1.2×10^{-4}
プルトニウム 240	6.56 千年	2.1×10^{-4}	2.0×10^{-4}	1.5×10^{-4}	1.2×10^{-4}	1.1×10^{-4}	1.2×10^{-4}

表 4.2　実効線量係数の例（吸入摂取）　単位は Sv/Bq である。ICRP publ. 72 より。ただし、半減期は最新の値に差し替えた。

例：2011 年 3 月の放射性物質の放出の激しかった時期、場所によっては空気 1 立方メートルあたりにヨウ素 131 が 200 Bq ほど含まれていた（その後、空気中の放射性物質は格段に少なくなった）。成人は（1 日で平均して）1 時間あたり約 1 立方メートルの空気を呼吸するので、このような場所にいれば、1 時間あたり約 200 Bq のヨウ素 131 を吸入摂取することになる。これを、表 4.2 を使って Sv になおすと、成人が 1 時間あたりに被曝する実効線量は

$$200 \, \text{Bq} \times 7.4 \times 10^{-9} \, \text{Sv/Bq} \simeq 1.5 \times 10^{-6} \, \text{Sv} = 1.5 \, \mu\text{Sv}$$

となる[*16]。

[*16] $\simeq$ は「ほぼ等しい」という意味。また 10^{-6} Sv $= 1 \, \mu$Sv であることを使った。

50 | 第4章　放射線の被曝と健康への影響

これが1時間の被曝量だから、同じ被曝が続くなら、ここにトータルの時間をかけただけの被曝をすることになる。これは、ずっと続いてもらっては困る被曝量だ（続かなかったわけだが）。

もう少し例を見よう。

例：2011年3月17日以降の飲料水の暫定基準では、1リットルの飲料水に含まれる放射性物質の上限は、ヨウ素131が300 Bq、放射性セシウムが200 Bqだった。基準をぎりぎり満たす水を1日に2リットル飲むとすると、ヨウ素131を600 Bq、セシウム134を200 Bq、セシウム137を200 Bq摂取することになる[*17]。これによる成人の1日の内部被曝の実効線量は、表4.1から、

$$600\,\text{Bq} \times 2.2 \times 10^{-8}\,\text{Sv/Bq} + 200\,\text{Bq} \times 1.9 \times 10^{-8}\,\text{Sv/Bq}$$
$$+ 200\,\text{Bq} \times 1.3 \times 10^{-8}\,\text{Sv/Bq} \fallingdotseq 20\,\mu\text{Sv}$$

と換算できる。

例：ある成人男性は秋になると山で野生のキノコを採って調理して食べていた。キノコがセシウム137に汚染されたため、この人はキノコのシーズンに通算で1000 Bqのセシウム137を摂取した。これによる内部被曝の実効線量は、表4.1から、

$$1000\,\text{Bq} \times 1.3 \times 10^{-8}\,\text{Sv/Bq} = 1.3 \times 10^{-5}\,\text{Sv} = 0.013\,\text{mSv}$$

となる。年間の被曝線量としては小さい（たとえば、すぐ下で説明する自然被曝と比べてみよう）。

■ **普段はどれくらい被曝しているか**　4.1節でも説明したように、原子力とは関係なく、まったく自然の状態でも人は様々な原因で放射線を被曝している（図4.4）。そのような被曝を**自然放射線被曝**（あるいは、略して、自然被曝）という。

自然被曝の量は住んでいる地域の環境などによって変わってくる。たとえば、

[*17] セシウム134とセシウム137は（ベクレルで表わして）同量とした。詳しくは付録B.4を見よ。

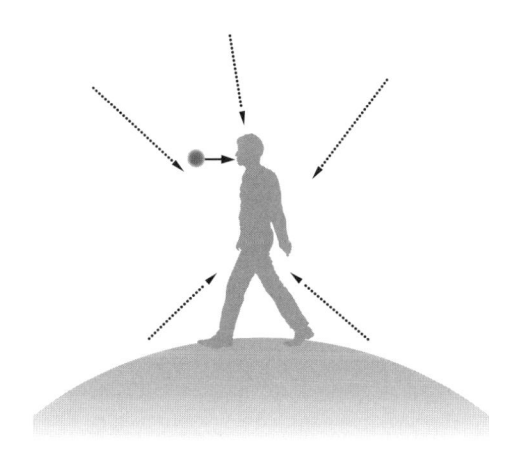

図 4.4　原子力とは関係なく、人間は、空からの放射線（宇宙線）、大地からの放射線によって外部被曝し、カリウム 40 の摂取やラドンの吸入によって内部被曝している。このような自然被曝の量は、被曝量の大小を考える上での一つの「目安」になる。

花崗岩（御影石など）からは多くの放射線が出ているので、花崗岩の多い土地での空間線量率は元々高い。日本では、大ざっぱに言うと、西日本のほうが東日本よりも自然の線量率は高いのである。

自然被曝の世界平均は、年間で 2.4 mSv（ミリシーベルト）と言われている。日本での自然被曝は世界の中ではやや低めとされているが、2011 年末に発表された調査結果では、日本における自然放射線による平均の被曝量は年間で 2.09 mSv となっている[*18]（表 4.3）。なお、この調査結果には福島第一原子力発電所の事故の影響は入っていない。

線量の内訳は表 4.3 のとおりで、大ざっぱに言うと、外部被曝が約 0.6 mSv、放射性物質を空気といっしょに吸い込むこと（吸入）による内部被曝が約 0.5 mSv、食物といっしょに口に入れること（経口摂取）による内部被曝が約 1.0 mSv となっている。

日本では医療検査を受けることによる医療被曝も高く、平均で年間 3.87 mSv にも達するとされる（表 4.4）。これは自然被曝のほぼ 2 倍に相当する。医療被曝については、多くの人は最低限の集団検診しか受けていない（それさえ受けていない人も多い）と思うので、一部の人がきわめて高い被曝をして平均を引き上げていると考えるべきだろう。

[*18]　同じ調査の 1992 年のバージョンでは、日本人の平均の自然被曝量は年間 1.48 mSv とされていた。これが、よく言われる「日本での平均は年間約 1.5 mSv」の根拠だろう。新しい調査結果で被曝量が増加したのは日本での環境が変わったからではなく、ポロニウム 210 による内部被曝の評価を食物中のポロニウム 210 の量の実測値をもとに正確に計算したことなど、評価法の改善によるという。

	線源	実効線量（mSv/年）
外部被ばく	宇宙線	0.3
	大地放射線	0.33
内部被ばく（吸入摂取）	ラドン（屋内、屋外）	0.37
	トロン（屋内、屋外）	0.09
	喫煙（鉛210、ポロニウム210など）	0.01
	その他（ウランなど）	0.006
内部被ばく（経口摂取）	主に鉛210、ポロニウム210	0.80
	トリチウム	0.0000082
	炭素14	0.0025
	カリウム40	0.18
合計		2.09

表4.3 「自然放射線による国民1人当たりの年間実効線量」、「新版・生活環境放射線（国民線量の算定）」（原子力安全研究協会、2011年12月）の表1.4.1を引用した。

線源	実効線量（mSv/年）
X線診断	1.47
X線CT検査	2.3
集団検診（胃）	0.038
集団検診（胸部）	0.0097
歯科X線	0.023
核医学	0.034
合計	3.8747

表4.4 「医療被ばくによる国民1人当たりの年間実効線量」、表4.3と同じ文献の表4.2.1を引用した。

　また、飛行機に乗って高度の高いところを飛ぶと、普段よりも強い宇宙線（空から降り注ぐ放射線）を浴びて余分な被曝をする。被曝線量は、飛行高度、緯度、太陽の活動の様子などいろいろな要素によって変わるが、たとえば、東京とニューヨークを往復するとおおよそ0.2 mSvの被曝をするとされている[19]。

---

*19　地球磁場の影響で、北極、南極に近いほど宇宙線が強い。東京とニューヨークを結ぶ経路は北極圏を通るので、被曝線量は比較的高い。

世界には高線量地域と呼ばれる、自然放射線量の高い地域もあり、場所によっては年間で 10 mSv 近い被曝をするところもあるという。別に、そういうところでも人々が癌などの病気に次々とかかってバタバタと倒れていくというようなことはない[*20]。

原子力や人類の文明とはまったく無関係に、年間で 2 mSv 程度の被曝はあること、また、どの地域に住むかによって、1 年間の被曝量は 1〜2 mSv 程度は変わるということは覚えておくべきだろう。このように自然被曝の量（の「ばらつき」）を知ることは**被曝量の大小についての一つのわかりやすい「目安」**になる。

■**等価線量について**　最後に、シーベルトに関連して、一つ頭に入れておいてもらいたいのは、**等価線量**と呼ばれる量も実効線量と同じシーベルトの単位で表わされるということだ。

等価線量は個々の臓器や組織が受けた線量を表わしている。普通、等価線量は、実効線量の厳密な定義の途中だけに登場するので、一般の人の目に触れるところで議論されることはほとんどない。

例外として、ヨウ素の内部被曝に関連して、「甲状腺への被曝量」という言葉が「甲状腺等価線量」という意味で使われることがある。ニュースなどで、たとえば「甲状腺に 20 mSv の被曝」と言うときには、「甲状腺等価線量で 20 mSv の被曝」という意味だと考えて間違いない。これは、「実効線量で 20 mSv の被曝」とはまったく違うので、あわてて「（普通の意味で）20 mSv も被曝したのか！」と考えてはいけない。等価線量の正確な意味については付録 B.2 で説明する。

4.3　被曝の健康への影響

ぼくらにとって切実な問題である、被曝の健康への影響に話をうつそう。そもそもどのような影響があるのか、また、それらはどのような仕組みで生じる

[*20] 詳しい調査をしたとき、高線量地域でわずかな発癌率の増加が見られるかどうかについては議論があり、未だに決着していないと思う。

と考えられているかを解説する。

■ **わりとすぐに影響が出る場合**　強い放射線を短い時間のあいだに被曝すると[*21]、人はダメージを受け、場合によっては死ぬ。だいたい 1 シーベルト（1 Sv）くらいの被曝で嘔吐したりする症状がでて、10 シーベルトくらい被曝するとほぼ確実に死んでしまう。実際、1999 年におきた茨城県東海村の核燃料加工施設 JCO の事故では二人が被曝のために（事故から数ヶ月後だけれど）命を落としている。

ただし、今回の事故で一般人がこんな被曝をする可能性はまったくないので心配はいらない[*22]。幸い、作業員の大量被曝の事故もなかった。

■ **後からじわじわと影響が出る場合**　けっこう多くの放射線を被曝したけれど生き延びた人や、弱い放射線を長いあいだにわたって被曝した人が、何年も後になってから病気になることがある。代表的な病気は癌と白血病だ。

こういう場合には、被曝をしてもすぐに影響が出るわけではないし、本人にも自覚症状がない。おまけに、「これだけ被曝すると何年後にかならず癌になる」というきっぱりとした話でもない。

話はもっとじれったくて、**被曝した影響が後からじわじわと顔を出し、何年、何十年経った後に癌になる確率が少し高くなる**とされている。「確率が少し高くなる」ということは、被曝の影響で癌になる人もいるけれど、そうでない人もいるということだ[*23]。また、被曝した量が少なければ癌も軽くてすむというわけではなく、かかってしまったら普通の癌になると考えられている。これは、（すぐ後で説明するけれど）放射線がぼくらの体の中の DNA に傷をつけ、その影響があとあとになって現われてくるということで、理屈にもかなっている。

[*21]　「短いあいだ」というのは、細胞がダメージを修復できないくらいの時間なので、大ざっぱに 1 時間くらいと思っていればいい。

[*22]　そうはいっても、日本における原子力の平和利用で、ごく最近にも（1999 年の JCO の事故で）直接の犠牲者が出ていたことは記憶しておくべきだ。

[*23]　だから、「うちのおばあちゃんは広島で原爆にあったけど、普通の年寄りよりずっと元気」とか、「〇〇さんは国際宇宙ステーションに滞在して△△ミリシーベルト被曝したけれど健康そのもの」といった個別の例を持ち出して、放射線のことを心配しないでいいというのは意味がない。

以下では、病気の代表ということで、また分析が進んでいるということで、この「癌の確率」のことを考える。実際には、被曝によって増えるのは癌だけではないのだが、他の病気については放射線被曝との関連は、それほどしっかりとはわかっていない。いずれにせよ、癌についての情報は被曝の健康への影響のはっきりした指標になる。

■**放射線のエネルギーと体へのダメージ**　2.2 節などで見たように、放射線のもとになっている粒子（電子や光子）は高い運動エネルギーを持っている。「そのような粒子が次々と体にぶつかるので、体が大きなエネルギーを受けて、それでダメージを受けるのだ」と想像する人もいると思うが、実際は、まったくそうではない。**かなりの量の被曝をしても、体が放射線から受けるエネルギーの総量はごくわずか**なのだ。

　たとえば、ガンマ線の外部被曝に話を限ると、1 Sv の被曝で体が受けるエネルギーは、体重 1 kg あたり約 1 J（1 ジュール）に過ぎない。これは、なんと、たった 10 cm の高さから飛び降りたときに体全体が受けるエネルギーと同程度なのだ。ぼくらは 10 cm の高さから飛び降りた程度で具合が悪くなったりはしない。それなのに、放射線を 1 Sv 被曝すると嘔吐してしまうのだ。

　これも、放射線には普通の常識が通用しない典型的な例だ[*24]。こんな妙なことがおきるのは、エネルギーの大小を比べるときに、どのレベルで考えるかによって話が大きく変わるからなのだ。大きな視点に立って放射線の全体のエネルギーを見てやれば、上に書いたように、1 Sv の被曝のエネルギーはとても小さい。一方、小さな視点に立って、原子・分子・素粒子レベルでのエネルギーを見てやると、ガンマ線のもとになっている光子のエネルギーは、化学反応に関わるエネルギーに比べて、桁違いに大きい。これが、放射線がぼくたちの体に「非常識」な影響を与える根本の原因なのだ。次に、その仕組みを少し詳しく見よう。

[*24] たとえば、（こんなことは誰もしないけれど）放射線を浴びせて水の温度を上げるのなら、水が放射線から吸収した全エネルギーを使って普通に計算すれば温度が何度上がるかという「正解」が出る。つまり、この場合は「常識」が通用するのだ。常識外れの大きな影響が出るのは、相手がぼくたち生物だからだ。

■**放射線が体にダメージを与える仕組み（の一つ）**　人が放射線を浴びても、目に見える傷が体についたりすることはない。しかし、2.4節で述べたように、放射線は体の中の分子を電離する。細胞の中の生体分子が電離されると、その一部は壊れてしまう。あるいは、細胞の中にたっぷりとある水の分子が電離された場合も、それによって作られる活性酸素がまわりの生体分子と激しく反応するので、やはり生体分子の一部が壊れてしまう。つまり、被曝によって細胞の中の分子に小さな傷がつくのだ。

　細胞の中の生体分子で、壊れることが特に問題になるのはDNA（デオキシリボ核酸）だ。DNAとは、ぼくら生き物の「設計図」の役割を果たしている大きな分子である（図4.5を見よ）。ぼくらが祖先から受け継いだ「遺伝情報」がDNAにたくわえられていることを知っている人は多いだろう。けれど、DNAは親からの遺伝を受け継ぐためだけに使うのではない。体の中で、様々な役割を果たすタンパク質を合成したり、新しく細胞をつくったりするときには、いつでもDNAに書き込まれた情報を使うのだ。DNAは、ぼくらが生き続けていくかぎりつねに必要な「設計図」と言うことができる。その**DNAが放射線によって切断されること、特に、DNAの二本の鎖がまとめて切断されてしまうことが、癌の一つの要因になる**と考えられている。

　DNAが切断されるといっても、それほど怖がる必要はない。実は、ぼくたちの体の中でDNAが切断されるというのは日常茶飯事なのだ。ぼくたちは生きていくために体の中で酸素を使うわけだけれど、そのときに、副産物として活性酸素というものができてしまう。この活性酸素は困りもので、DNAに出会うと反応して切断してしまうのだ。

　そこで、生物は、傷ついたDNAを治すためのしかけをちゃんと持っている。DNAは設計図だから、単にちぎれたDNAをくっつけるだけでは修理したことにならない。書

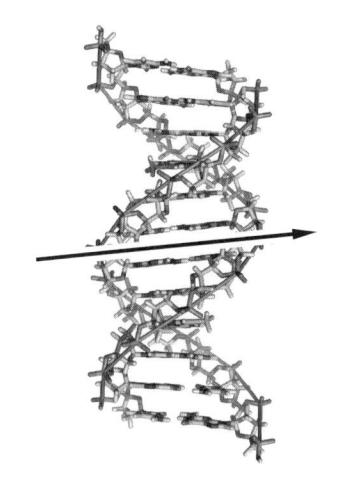

図4.5　DNAはこのようなラセンがずっとつながった長い分子。ここでは、放射線によってDNAの二本の鎖がまとめて切断された状況をマンガ的に描いた。Wikipedia掲載の図（Richard Wheeler (Zephyris)により投稿）を加工した。

き込まれていた情報も正しく元通りに戻さなくてはいけないのだ。DNA の修復メカニズムはものすごく発達していて、生物は驚くほど巧妙な方法をいろいろと組み合わせて、DNA についた傷をどんどん治しているのだ。

さらには、DNA がどうしても修復できないくらい壊れてしまったときには、その細胞を「廃棄処分」にしようと決めて殺してしまう仕掛け（アポトーシス）もある（ぼくらの体の中でおきていることは、知れば知るほど、ものすごく面白い）。ちなみに短時間に大量被曝したときすぐに健康影響が出るのは、被曝によって多くの細胞がアポトーシスをおこすからだ。「10 cm の高さから飛び降りた程度のエネルギー」で人が嘔吐してしまうのは、こういう仕組みだったのだ。

■**DNA の傷と癌**　しかし、そうやって巧みに修理していっても、ごくごくまれに、DNA がちゃんと修理されていないままの細胞が「廃棄処分」されずにあとに残ってしまうことがある。そういう細胞は微妙にまちがった「設計図」を持っていることになる。

長い時間が経ったあとで、まちがった「設計図」を持った細胞が「暴走」を始めることがある。普通の細胞は必要になった時にだけ細胞分裂して増えるのだが、「暴走」を始めた細胞は無節操にひたすら細胞分裂して増えていく。これが、癌だ[25]。

癌細胞は、体に必要な栄養を使ってどんどん増えていき、たちまち他の臓器を圧迫するようになる。放っておけば、体をどんどん蝕んで、癌にかかった人は死んでしまう。

つまり、**癌のおおもとの原因は（DNA に書き込まれている）「設計図」のちょっとしたまちがい**ということになる。

普通に生きているだけでも「設計図のまちがい」は少しずつ増えていくことがわかっている。また、タバコを吸ったり、お酒を飲み過ぎたり、強いストレスを感じたり、「発癌物質」と呼ばれているものを体に取り込んだりしても、「設計図のまちがい」は増える。ぼくらの身の回りの実にいろいろなものが癌の（遠

---

[25] 実際には、このあたりの話はもっとずっと複雑だ。細胞が癌になっても、ぼくらの体には癌への免疫があり、普通は癌細胞は成長する前に殺されてしまう。癌細胞が免疫との闘いにも勝ってしまったとき「暴走」が始まる。

い）原因になりうるのだ。

　放射線の被曝も、「設計図のまちがい」を引きおこす数多い原因の一つだ。たくさん被曝すれば、たくさんの DNA が傷つけられるので、それだけ「設計図のまちがい」が後に残る可能性が高くなると考えられる[*26]。ここで問題なのは、被曝によって癌がどれくらい増えるかということだ。それを次の節で取り上げよう。

4.4　被曝によってどれだけ癌が増えるか

　被曝による健康への影響の中でも特に顕著な、癌の増加について、詳しく見ていこう。

■そもそもどれくらいの人が癌になるのか　近年、日本では癌にかかる人が増えている。癌が増えた主な原因は、医療の進歩で人々の寿命が延びたことだ。昔なら癌になる前に他の病気などで死んでいたはずの人たちが、十分に長生きして癌にかかっているのである。「癌が増えている」というと悪いことのようだが、実は医学の勝利の結果なのだ。

　日本人の場合、だいたい半分くらいの人が死ぬまでの間に一度は癌になり、そのまた半分くらいの人が癌で命を落としているとされる。

　ただし、「癌にかかる」ということの意味は実はかなり難しい。ご存知のように、本人には自覚症状がなくても精密な検査の結果として「癌があった」とわかることは珍しくない。検査の技術が進んだため、昔ならば気づかずに終わっていた癌が発見されるということも多いようだ。だから、「日本人の何パーセントが癌になるか」ということについての正確な統計はないという[*27]。一方、人

[*26] これが、被曝が癌を増やす主要な仕組みであることは確実だが、これが唯一の仕組みかどうかはわからない。たとえば、被曝によって癌の免疫の効果が弱められ、癌が発生する可能性が高くなるのではないかという意見もある。今のところ、そのようなメカニズムが現実にどれくらい生じるのかは、ぼくには（おそらく誰にも）わからない。

[*27] たとえば、多くの老人が、体のどこかにゆっくりと成長し健康にはほとんど影響を与えない癌を持っている。そういったものも全て数え上げると、「人が癌にかかる割合」はどんどん大きくなっていくと考えられる。

■広島・長崎の被爆者の追跡調査

被曝によって癌はどれくらい増えるのだろうか？　近年の分子生物学の進歩は目覚ましいけれど、それでも、理論的考察、生体外での実験、動物実験などから信頼できる答えを出すことは未だにできない。やはり、実際に被曝してしまった人がどれくらい癌になったかという調査をしなくては信頼できる結果は得られないのだ[*29]。

もちろん、多くの人々にわざと放射線を浴びせて癌がどれくらい増えるか実験することなど決して許されない。それでも、不幸な（そして、あってはならない）出来事で被曝した人たち、あるいは別の病気の治療のために医療被曝した人たちを対象にした調査がたくさん行なわれていて、かなりの知識が得られている。

それらの中でももっとも大規模なのは、広島・長崎で原子爆弾の被害にあった人たちを対象にした調査だ（図4.6）。特に12万人の被爆者を対象にした、LSS（Life Span Study、寿命調査[*30]）と呼ばれる長年にわたる追跡調査は重要である。被曝の健康影響についての数多い調査の中で、LSS は、規模においても信頼性においても飛び抜

図4.6　1945年8月9日に長崎に投下された原子爆弾によるキノコ雲。原子爆弾によって7万人以上の人が亡くなったとされる。その3日前に広島に投下された原子爆弾では、さらに多くの人が命を落とした。

が亡くなった場合は、死因が癌かどうかは比較的はっきりしているので、癌で命を落とす人の割合については統計データがある[*28]。

[*28] 2009年の統計にもとづく推定では、日本での累積生涯癌死亡リスクは、男性は26パーセント、女性は16パーセントである（下のwebページの図表9による）。http://www.fpcr.or.jp/publication/statistics.html
[*29] このように、何らかの要因の健康への影響を、人々の集団を調べて調査する方法を疫学という。付録B.1を参照。
[*30] Life Span Study は「生涯にわたる調査」といった意味。日本語訳の「寿命調査」は意味がわかりにくい。

60 | 第4章　放射線の被曝と健康への影響

けているとされる。ただし、LSS も決して万能ではなく、いくつかの欠点が指摘されている[*31]。そこから得られる結論も、実際とは多少（たとえば2倍とか2分の1ほど）食い違っている可能性はあるだろう。

　図 4.7 は、LSS から得られた被曝量と癌の増加の関係である。横軸は被曝した線量で、単位はシーベルト。縦軸は「被曝していない集団に比べたとき[*32]、癌になる人が何倍になったか」を表わしている。たとえば「1.0倍」というのは「普通の集団と変わらない」ということなので、確かに被曝のない「0 Sv」は「1.0倍」に対応している。

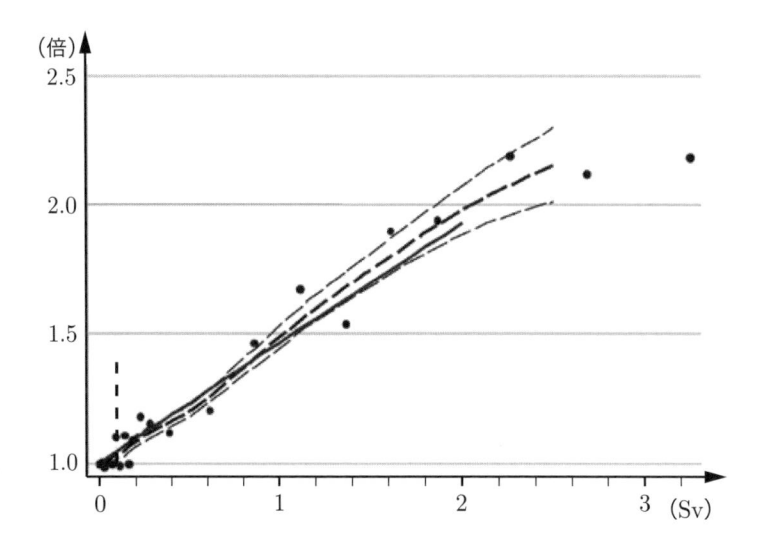

図 4.7　広島・長崎の被爆者の追跡調査（LSS）の結果をまとめて得られた、被曝量と癌の増加の関係のグラフ。横軸は被曝量、縦軸は普通の集団と比べて癌にかかる人が何倍になったかを表わす。黒丸が実際のデータ。（放射線影響研究所「原爆被爆者における固形がんリスク」より。グラフはそのままで、座標軸をつけ直した。横軸は正確には「重み付けした結腸線量〔Gy〕」だが、大ざっぱには実効線量〔Sv〕と考えてよい。）
http://www.rerf.or.jp/radefx/late/cancrisk.html

[*31]　最大の欠点は、追跡調査が始まったのが原爆投下の5年後であり、それまでの時期の死亡者についてのデータがないことだろう。さらに腫瘍登録制度が確立されて癌の完璧な記録が残されるようになったのは原爆投下から13年後であり、それまでの癌の見落としもありうる。また、被曝した線量も実測するわけにはいかないので、理論的な推測に頼っている。LSS には内部被曝の影響が取り入れられていないことが被曝線量の評価に影響を与えている可能性もある。
[*32]　正確に言うと、比較している相手は「被曝していない集団」ではなく「ごく弱い被曝しかしていない集団」なのだが、この本ではそういった詳細には踏み込まない。

このグラフを見てまずわかることは、「癌になる割合の上乗せ（つまり、縦軸の値から 1.0 を引いたもの*33）」が大ざっぱには被曝した線量に比例するということだ。特に、**1 Sv の被曝で、癌になる人数が約 1.5 倍に増える**ことが見て取れる。

一方、被曝した線量が低いと、調査の結果は微妙になってくる。グラフに描き入れた縦の点線は 100 mSv = 0.1 Sv の被曝量に対応している。この点線よりも左側のデータを見ると、ばらつきも大きく、被曝していない集団に比べて癌になる人が増えたのか増えていないのかわからない。

癌になる人は増えていないのかも知れない。あるいは、実は癌になる人は増えているのだが、増えた人数があまり多くないため、この調査では見えていないのかも知れない。この調査だけからでは、100 mSv よりも少ない被曝で癌が増えるのか増えないのかは**わからない**というのが多くの人が支持する結論である*34。

4.5 被曝による癌のリスクについての「公式の考え」

広島・長崎での追跡調査（LSS）などの結果を踏まえて ICRP がまとめた癌のリスクについての「公式の考え」を見よう*35。今の日本で重要なテーマなので、関連することがらも含めて詳しく解説する。

■ **ICRP の「公式の考え」とは何か**　ICRP（国際放射線防護委員会）というのは、放射線の危険から人々を守りながら、放射線の有益なところは活用していくことを目指して*36、放射線関連の様々な基準を作っている非営利の国際的な組織である。公の国際的機関というわけではないが、ICRP の勧告は実質的な国

---

*33　この量を、疫学では過剰相対リスク（ERR）と呼ぶ。詳しくは付録 B.1 を参照。
*34　この点については、次の 4.5 節の「『公式の考え』はどうやって得られたか」という部分でさらに議論する。
*35　ここでの「公式」は、「二次方程式の根の『公式』」というときの「公式」ではなく、「公の」という意味。なお、「公式の考え」という呼び方は、別に「公式」の呼び名ではなく、ぼくが命名したものだ。
*36　たとえば、放射線や X 線を扱う技師の健康に悪影響があるからと言って放射線治療やレントゲン撮影をすべて禁止してしまったら、救われただろう多くの命が失われることになってしまう。技師の健康を守りながら、適切な治療や検査を行なうため、ICRP は細かい基準を決めて勧告している。

際標準になっており、日本でも放射線関連の基準や法律の基礎になっている*37。

ICRP では、LSS など放射線被曝の健康影響に関する数多くの研究を参照して、「放射線被曝がどれくらい体に悪いか」についての「公式の考え」を発表している。職業被曝についての ICRP の勧告も、この「公式の考え」に基づいている。

被曝による癌のリスク*38 についての ICRP の「公式の考え」は以下のとおり。

- 自然被曝以外に、実効線量が通算で 1 シーベルト（1 Sv）の放射線をじわじわと被曝すると、癌による生涯死亡リスク（生涯のあいだに癌で死亡する確率）が 5 パーセント上乗せされる
- 癌による生涯死亡リスクの上乗せは、（自然被曝以外に）被曝した実効線量に比例する*39

まず、ここでは、癌にかかるリスクではなく、癌で死亡するリスクに着目していることに注意しよう*40。4.4 節の最初に説明したように、「癌にかかる」ということの判定はかなり微妙で、どれくらい丁寧に診断するかで「癌にかかった人の人数」が大きく変わってしまうことが一つの理由と考えられる。

「癌による生涯死亡リスク」とは、ある人が最終的に癌で命を落とす確率のことをいう。余分な被曝がなかったときの癌による生涯死亡リスクが正確にどれだけかはわからないが、仮に、これを 25 パーセントとしよう。つまり、原子力発電所事故による被曝などが一切なかったとしたら、現代の日本人の 25 パー

---

*37　ただし、ICRP の勧告が公表されてから、それが日本の法律に取り入れられるまでには何年間かの遅れがあるのが普通らしい。

*38　リスクとは「見込まれる危険」といった意味だが、ここでは確率と同じ意味と考えていい。ピンと来ない人は、4.6 節の最初の例を見るといいだろう。詳しくは、付録 B.1 を参照。

*39　4.3 節の最初で注意したように、被曝した線量が少なくなると、癌で死亡する確率が小さくなるだけで、癌が軽くなるわけではないと考えられている。

*40　ICRP に厳密に従うと、「癌による生涯死亡リスク」と書いたものは、「損害で調整されたがんリスクの名目確率係数」としなくてはならない。命は落とさないものの健康に重大な影響を与える癌もある程度の重みで取り入れた量のことだ。ただ、ICRP も、この量を大ざっぱには「癌による生涯死亡リスク」とみなしていいと言っている。詳しくは、ぼくの解説「被ばくによってガンで死亡するリスクについて」をご覧ください。http://www.gakushuin.ac.jp/~881791/housha/details/cancerRisk.html

4.5 被曝による癌のリスクについての「公式の考え」 | 63

セントが癌で死亡し、残りの 75 パーセントがそれ以外の原因で死亡すると仮定する（人の死亡率は 100 パーセント）。

「公式の考え」によると、1 Sv の被曝をすると、このリスクが 5 パーセント「上乗せ」される。つまり、$25 + 5 = 30$ パーセントになるということだ[*41]（図 4.8）。もちろん、現代の日本に住んでいて 1 Sv の被曝をする人はいないのだが。

「公式の考え」では、さらに、死亡リスクが（自然被曝以外の）被曝量に比例すると言っている（図 4.8）。たとえば、被曝量が 1 Sv の半分の 0.5 Sv だったとしよう。これは 500 mSv（ミリシーベルト）だ。このときには「上乗せ」も 5 パーセントの半分の 2.5 パーセントになると考えることになる。つまり、癌で死亡するリスクは $25 + 2.5 = 27.5$ パーセントとなる。同じように、被曝量が 1 Sv の 5 分の 1 の 0.2 Sv つまり 200 mSv なら、「上乗せ」は 1 パーセント。生涯で癌で命を落とす確率は、$25 + 1 = 26$ パーセントという計算になる。

「低線量」の被曝としてよく引き合いに出されるのが、通算で 100 mSv の被

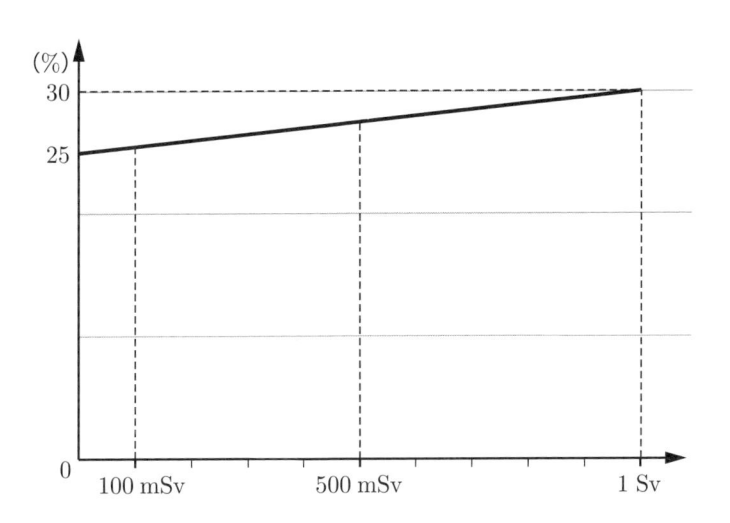

図 4.8 ICRP の「公式の考え」を示したグラフ。横軸は、ゆっくりと被曝した場合の通算の（自然被曝以外の）実効線量。縦軸は癌による生涯死亡リスク（生涯に癌で死亡する確率）。被曝がないときの癌による生涯死亡リスクを仮に 25 % とした。両者の関係が直線のグラフになるというのが、ICRP の採用した「線形閾値なし仮説」である。

[*41] **理系読者向けの注意**：「確率が 5 パーセント増える」とだけ聞くと、$25 + 5$ ということなのか、25×1.05 ということなのか、わかりにくい。ここでは前者ということを強調するため「上乗せ」という言葉を使っている。疫学用語では過剰絶対リスクという。付録 B.1 を参照。

曝だ。これは、1 シーベルトのちょうど 10 分の 1 なので、「公式の考え」をそのまま使えば、癌による生涯死亡リスクの上乗せは 0.5 パーセントということになる。これが、よく耳にする

- **（自然被曝以外に）生涯で通算 100 ミリシーベルトを被曝すると癌で死亡するリスク（確率）が 0.5 パーセント上乗せされる**

という主張だ。この本のこれから先では、主に、この主張を ICRP の「公式の考え」として引用する。

通算 100 ミリシーベルトの被曝で、「もともと 25 パーセントだった癌による死亡リスクが増えて 25.5 パーセントになる」というのは、（正しいとして）かなり微妙な増加だ。これについてどのような考え方がありうるかを、次の 4.6 節で落ち着いて議論しようと思う。

■「公式の考え」はどうやって得られたか　ICRP の「公式の考え」がどのようにして得られたかをごく大ざっぱに見ておこう。

被曝による癌の増加についてのもっとも信頼できるデータは、4.4 節で紹介した広島・長崎の被爆者についての LSS（寿命調査）である。「公式の考え」も、LSS の結果を重要な手がかりとし、他の研究結果も踏まえて得られたものだ。その際、「線形閾値なし仮説」と「線量・線量率効果係数」という二つの考えが用いられる[*42]。

LSS の結果をまとめた図 4.7 のグラフを紹介したときに触れたように、このデータを見ると、被曝線量が 200 mSv から 2 Sv くらいのあいだでは、「癌にかかる割合の上乗せ」と線量が大まかに比例しているように見える。一方、線量が小さいところでは、発癌の増加があるのかどうかは、調査の結果だけからではわからないことも説明した。**わからない領域でも「癌にかかる割合の上乗せ」と実効線量は相変わらず比例しているだろう**というのは、一つの素直な考えである。これを**線形閾値なし（LNT）仮説**と呼ぶ[*43]（図 4.9）。

[*42] 「閾値」の正式な読みは「いきち」だが、この本では慣用的な読みの「しきいち」を用いる。

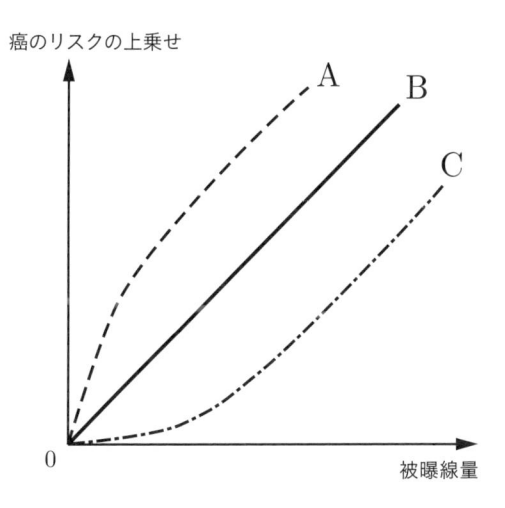

4.5 被曝による癌のリスクについての「公式の考え」│65

図 4.9 低線量での被曝の影響についての典型的な考え方を示す模式図（考え方を示す図なので、グラフの軸に目盛りはふらなかった）。B は、低線量になっても「癌のリスクの上乗せ」と線量が比例するという「線形閾値なし仮説」を表わすグラフ。A は、低線量の被曝の影響は（もちろん、小さいわけだが）「線形閾値なし仮説」の見積もりよりは大きいという考えを表わすグラフ。C は、低線量の被曝の影響は「線形閾値なし仮説」の見積もりよりもさらに小さいという考えを表わすグラフ。図 4.7 の LSS から得られたグラフの左端（点線よりも左）の黒丸の並び方を見ただけでは、この A, B, C のいずれの形（あるいは、また別の形）が妥当か判断できない。

「線形閾値なし仮説」は文字通り仮説であり[*44]、科学的に確立している事実ではない。科学的データだけでは完全な正解は得られないから、高線量と同じ比例関係がそのまま続くと考えるのも悪くないだろうというのが仮説の根拠だと思う。

これに対して、「いや、人間はもっと敏感なのだ。被曝が少ないとき、その見積もりよりも大きな害がある」という専門家もいれば、まったく逆に、「いやいや、人間はタフ。弱い放射線だったら浴びても大丈夫。癌なんて増えない」という専門家もいる（図 4.9）。わからない以上、いろいろなことが言えるわけで、こうなると、ぼくにはどうしようもない。

最近の研究論文を見ると、詳しく調べれば調べるだけ、低線量でも（わずかだが）癌が増加する傾向が見られるようだ[*45]。さしあたっては、上の「被曝線

[*43] LNT は Linear-non-threshold の略。「直線閾値なし」と訳されることもある。
[*44] ICRP pub. 103 では、Linear-non-threshold model つまり「線形閾値なしモデル」と呼んでいる。
[*45] 様々な疫学的研究の総合報告 D. J. Brenner et al., PNAS **100**, 13761–13766 (2003) によれば、短時間の被曝については、50 mSv 以上の被曝で癌のリスクが増加するというよいデータがあり、おおよそ 5 mSv 以上の被曝で何らかの癌のリスクが増加するというもっともらしいデータがある。また、緩慢な被曝については、100 mSv 以上の被曝で癌のリスクが増加するというよいデータがあり、おおよそ 50 mSv 以上の被曝で何らかの癌のリスクが増加するというもっともらしいデータがある。ただし、これらのデータから、低線量での被曝による健康影響が図 4.9 のいずれの形を取るか（あるいは、他の形を取るか）は結論できないという。

量と『上乗せ』は比例」という仮説を採用するのは一応まっとうな態度に見える。

「線形閾値なし仮説」では、「被曝した実効線量が〇〇シーベルトよりも小さければ、影響はまったくない」というような「境目(さかいめ)」になる線量(それを閾値(しきいち)と呼ぶ)が**ない**ことに注意しよう。どんなに被曝量が小さくても(確率はものすごく小さいかも知れないが)影響がありうると考えようということだ。

次に「線量・線量率効果(こうか)係数」について。

広島・長崎での被曝は、強いガンマ線と中性子線をごく短い時間に浴びる急性の被曝だ[*46]。これに対して、放射線を長期的に浴びる場合には、実効線量が同じなら、体への害は小さいという考えがある。体が DNA などの傷を治している余裕があるからだ。また、そもそも被曝した線量が小さい場合には、高線量の被曝から(線形閾値なし仮説を使って)予測されるよりも体への影響は小さいという考えもある。

そこで、**LSS の調査から得られた癌のリスクを、線量・線量率効果係数(DDREF**[*47]**)という数で割って小さくしたものを、ゆっくりとした低線量の被曝**[*48]**でのリスクとみなす**ことになっている。ICRP では、線量・線量率効果係数を 2 に選んでいる[*49]。

以上の二つをまとめると、以下のようにして、LSS の結果から「公式の考え」が得られる[*50]。

まず、被曝がなかったとき生涯のあいだに癌で死亡するリスクをざっと 20 パーセントとしよう。「1 シーベルトの被曝で癌が 1.5 倍に増える」というのが

[*46] 60 ページの脚注 [*31] でも触れたように、内部被曝の効果も無視できないのではないかという議論がある。
[*47] DDREF は Dose and dose-rate effectiveness factor の略。
[*48] ICRP では、DDREF を使うのは、通算の実効線量が 0.2 Sv 以下であるか、または、被曝した線量率が 0.1 Sv/h 以下のときとしている。
[*49] ただし、線量・線量率効果係数の妥当性については専門家のあいだでも議論がある。P. Jacob et al., Occup. Environ. Med. **66**, 789–796 (2009).
[*50] 実際には、「公式の考え」は様々なデータを組み合わせて得られている。ここでの説明は、LSS の結果から「公式の考え」をごく大ざっぱに導く一つの筋道(すじみち)を示したもので、ICRP の論理を忠実に説明したものではない。

LSSの結果だった。これが癌死亡リスクにもあてはまると仮定すると、1シーベルトの被曝で、生涯癌死亡リスクは20パーセントの1.5倍の30パーセントに増えることになる。つまり、10パーセント上乗せされる。この10パーセントを線量・線量率効果係数の2で割れば、5パーセント。よって、「1シーベルトの（緩慢（かんまん）な）被曝で癌による生涯死亡リスクが5パーセント上乗せ」ということになる。ここに「線形閾値なし仮説」を組み合わせれば「公式の考え」になる。

■「公式の考え」をめぐって　ICRP（国際放射線防護（ぼうご）委員会）が「公式の考え」を作ったのは、放射線被曝が関（かか）わる様々な状況での意思決定の「よりどころ」にするためだと考えられる。

　たとえば、レントゲン検査の技師は1年間にどれだけの被曝をしていいかとか、飛行機のパイロットは1年間に合計でどれだけの時間フライトしていいかとか、原子力発電所の作業員が空間線量率の高い場所でどれだけの時間作業をしていいかとか、そういった職業の基準を決めるのがICRPの重要な役割だ[*51]。その基準作りに「公式の考え」を用い、それぞれの職業の「危なさ」が普通の職業の「危なさ」と同程度になるように工夫するのだ。

　また、福島第一原子力発電所でおきたような事故の際には、「公式の考え」を使って、一般の人々への危険がどの程度ありうるかを見積（みつ）もり、（たとえば、避難（なん）するかしないかといった）判断のよりどころにするということだ。「公式の考え」は、癌による死亡者の増加を科学的に予想するための「計算式」ではないし、まして、個々人が癌で死亡する危険性を見積もるためのものでもないことは理解しておくべきだと思う。

　「公式の考え」では「線形閾値なし仮説」を採用するので、被曝した線量がどんなに小さくても健康への（確率的な）影響はわずかにあると考えることになる。一時期、「100ミリシーベルト以下の被曝なら影響はありません」という説明を見かけることがあったが、これはICRPの「公式の考え」とは食い違っ

[*51] 正確に言えば、ICRPは勧告（かんこく）を出すだけで、それを参考にして各国で法規（ほうき）を定める。

ている。

　ただし、4.2 節の最後に書いたように、ぼくたちはごく自然な状態でも年間で 2 mSv 程度の被曝をしているし、住む場所によって年間の被曝量は 1〜2 mSv 程度は違ってくる。そのような自然被曝の「ばらつき」よりもずっと低い線量の影響にまで「公式の考え」をそのまま使ってしまうのは、おそらく行きすぎだろう。

　「（自然被曝以外に）生涯で通算 100 ミリシーベルトを被曝すると癌で死亡するリスク（確率）が 0.5 パーセント上乗せされる」という「公式の考え」には、被曝した人の年齢や体格といった個人的な要素が入っていないことが気になった人も多いだろう。ICRP の「公式の考え」は、あくまで、職業人のための基準を作ったり、放射線がらみの事故の際の大きな方針を決めたりする際に使うものなので、実在の個人ではなく、多くの人を平均した「標準人」（あるいは、「平均的個人」）の癌のリスクを表わしているのだ。

　しかし、実際には、被曝の健康影響には大きな個人差があると考えられている。まず、4.7 節で扱うように、一般に子供は大人よりも放射線被曝の影響を受けやすいことが知られている。あるいは、癌の発生にとって重要な DNA の傷を治す能力（4.3 節を見よ）は人によってまちまちで、特定の遺伝子が欠損しているために DNA の傷を治す能力が極端に弱い人たちがいることも知られている。そのような人たちにとっては放射線被曝の影響は標準人よりもずっと大きいはずだ。放射線被曝のリスクを正確に考えるためには、影響に個人差がありうることを意識しなくてはいけない。

　ICRP も、汚染のひどい地域で暮らす人々については、標準人の考えを用いず、個々の人たちの被曝状況を適切に把握すべきだとしている。

■**被曝量についての ICRP の勧告**　ICRP では、いくつかの状況について、人々がどこまで放射線を被曝していいかについての基準を作って公表している。この節の冒頭にも書いたように、ICRP の勧告は事実上の国際標準とみなされている。

　ICRP の基準のベースになっているのは、これまで見てきた被曝による癌の

リスクについての「公式の考え」と、もう一つ、「ALARA原則」と呼ばれる重要な考えである。ALARAとは、"as low as reasonably achievable"の頭文字を並べたもので、「**合理的に達成できる範囲で、できる限り低く**」という意味だ。

ICRPとしては、「公式の考え」で「線形閾値なし仮説」を採用した以上、どんなに低線量でも放射線被曝は有害だとみなす立場をとることになる。しかし、（自然被曝以外の）被曝をゼロにすることを目標にしてしまうのはおそらくナンセンスだ。放射線を扱う技術は医療関係も含めていっさい利用できないことになってしまうし、飛行機に乗ることももちろんできない。ほんの少しでも放射性物質に汚染された地域からは人々は避難しなくてはいけないことになる。さすがにそれは無茶だということで、**放射線被曝によって生じうる害と、その他の利益を秤にかけて、上手にバランスさせながら、被曝量をできる限り低くしていこう**と考えるのである[*52]。

これが「合理的に達成できる範囲で、できる限り低く（ALARA）の原則」だ。「線形閾値なし仮説」は、ALARA原則と組み合わせてこそ、実際的な意味を持つことに注意しよう。

放射線を扱う職業に就いている人たちに関するICRPの基準は社会的には大きな意味を持つのだが、差し当たってぼくたちには関係してこない。ここでは一般人に関する基準だけを取り上げよう。

まず、事故などのない普通の状況では、**一般人の（自然被曝と医療被曝を差し引いた）被曝量は年間1ミリシーベルト以下に抑える**ようにと定めている。4.2節の最後で見たように、年間1ミリシーベルトというのは、自然被曝の「ばらつき」とだいたい同程度の被曝量である。つまり、「年間1ミリシーベルトの余分な被曝がある」というのは、「たまたま線量がちょっと高めの地域に引っ越して1年間暮らす」というのと似たようなものとみなせるということだ。もちろ

[*52] たとえば、放射線技師の被曝の場合なら、「利益」というのはレントゲン検査を受ける人々の医療の向上である。原子力発電所事故によって土地が放射性物質に汚染されてしまった場合、「利益」というのは、住み慣れた土地に住み続けて生活を続けることによる経済的、精神的な「利益」ということになる（ただし、この場合には、もともとの平和な生活が奪われてしまっているわけだから、「利益」という言い方は適切ではないかもしれない）。

ん余分な被曝はないに越したことはないが、この「年間1ミリシーベルト」という基準は十分に良心的だとぼくは思っている。

問題は、今回のような事故がおこってしまったときの被曝の基準だ。事故の際には、被曝量を計画的にコントロールすることはできないから、臨機応変の対応が求められる。ICRP では、事故のあとの状況を**緊急時被曝状況**と**現存被曝状況**の二つに分けて考えている。

緊急時被曝状況とは、言うまでもなく、事故の直後の緊急の状況だ。この時期には、政府や地方自治体が状況を判断して素早く指示を出し、人々の安全を守ることになっている。現存被曝状況というのは、汚染された地域で、ある程度の被曝をしながらも人々が日常的な暮らしをしている状況を言う[*53]。緊急時被曝状況が終わって現存被曝状況に移ったら、どうやって住民を被曝から守っていくかという方針についても、住民自身が参加して決めていくべきだというのが ICRP の考えだ[*54]。

緊急時被曝状況と現存被曝状況では、被曝線量の基準ではなく、**参考レベル**を決めることになっている。**緊急時被曝状況での参考レベルは、年間 20～100 ミリシーベルトの範囲のできるだけ低いところにとり、現存被曝状況での参考レベルは、年間 1～20 ミリシーベルトの範囲のできるだけ低いところにとる**ことになっている[*55]。参考レベルというのは一種の「目標の値」で、個々の住民の被曝量がこの値よりも小さくなるよう、被曝を低下するための様々な措置を続けようということだ。そして、状況を見ながら参考レベルを少しずつ下げていく。特に、現存被曝状況では、参考レベルを最終的には年間 1 ミリシーベル

[*53] 「現存被曝状況」のもとの英語は existing exposure situation である。直訳すれば「被曝のある状況」、意訳すれば「被曝と共に暮らす日常」といったところだろうか。「現存被曝状況」という訳語はわかりにくい。

[*54] 福島第一原子力発電所の事故の際には、日本政府は、どの地域がどの時点まで緊急時被曝状況に対応し、どの時点で現存被曝状況に移行したのかを（ぼくが知る限り）はっきりさせていない。しかし、子供たちが学校に通い始めた時点では、明らかに日常生活が戻っているわけだから、現存被曝状況に移っていたと考えるしかない。

[*55] 事故の直後、政府は福島での被曝量の上限を年間 20 mSv とし、これは「ICRP の勧告の年間 20～100 mSv の範囲」でもっとも低い値だと主張した。しかし、「年間 20～100 ミリシーベルト」というのは緊急時被曝状況での参考レベルである。その段階では既に子供たちが学校に通う現存被曝状況に移行していたと考えるべきなので、年間 20 mSv は「ICRP の勧告の年間 1～20 mSv の範囲」でもっとも高い値だったのだ。

トまで下げることを目指すのである。

■**低線量被曝の難しさ**　4.4 節（特に、図 4.7）で見たように、広島・長崎の被爆者の大規模な追跡調査（LSS）の結果を使っても、100 ミリシーベルト以下の低線量の被曝によって癌が増えるのか増えないのかは、はっきりわからなかった。影響がないのかも知れないし、影響はあるのだがこの調査で見えるほど大きくはないだけなのかも知れない。

その他の様々な疫学調査の結果を総動員すると、もう少し低線量まで癌のリスクが増える兆候が見えてくる。そうは言っても、ぼくらに関わりのある緩慢な被曝については、癌リスクの増加の兆候が認められているのは被曝線量がだいたい 50 mSv を超える場合だけのようだ[*56]。

広島・長崎での調査よりも大規模な被曝事例の調査はないし、理論や動物実験だけでは、低線量被曝の人の健康への影響は完全にはわからない。普通の科学なら「わからない」ならば地道に研究を続けていけばいいわけだが、この場合は、影響があるのかないのかがぼくらにとって切実な問題だから悩ましい。

「わからない」ものは、そのまま「わからない」として放置するのも一つの合理的なやり方だと思う。「わからない」と言っても、あくまで「影響がない」か「今の調査では見えない程度の影響がある」かのどちらかなのだから、その範囲で人それぞれに判断すればいい。

一方、「わからない」領域についてもできるだけ理にかなった「目安」を定めようという姿勢もある。それが現在の ICRP のやり方で、それをまとめたのが癌のリスクについての「公式の考え」だ（61 ページ）。これも十分に筋の通った進み方である。特に、社会での放射線の利用を考えたり、放射性物質で汚染された地域で人々を守っていくことを考える上では、役に立つやり方なのだと思う。ただ、**低線量被曝での癌のリスクについての「公式の考え」は、あくまで、そのようにして作った社会的な「目安」であって、癌による死亡率を予測するための科学的な理論ではない**ということを忘れてはいけない。

低線量では、実際の癌リスクは「公式の考え」が言うよりも 2 倍、3 倍大き

[*56] 65 ページの脚注 [*45] を見よ。

いということも十分にありうるし、逆に、「公式の考え」よりもずっと小さいということもありうる。さらに、内部被曝については、4.2節で注意したように、実効線量の見積もりに不確かさがあるから、「公式の考え」のリスク評価にはより大きな不確かさがあると考えるべきだ。また、自然被曝よりもずっと小さいような極端な低線量については、「公式の考え」の評価はほとんど意味がないとも思うべきだろう。

　低線量の被曝の健康への影響が「わからない」という説明を聞いて、「わからないということは、想像を絶するすさまじい被害があるのかもしれない」と感じてしまう人がいるようだ。ここまで読んできた読者には説明するまでもないだろうが、もちろん、そんな心配は無用だ。

　そもそも低線量被曝の影響が「わからない」のは、広島・長崎の追跡調査などではっきりとした影響が見えないからだ。被害があるとしても、理屈で考えられるかぎり最大でも、「調査でぎりぎり見えないくらいの規模の被害」ということになる。「人々がバタバタと癌で倒れていく」というようなことはあり得ない。

　また、いくら放射線に常識が通用しないと言っても、被曝した線量が小さいほど健康への影響が小さくなっていくことに疑いはないと思う。ICRPの「公式の考え」は絶対に正しいわけではないが、ある程度の不確かさがあることを知ってさえいれば、低線量被曝の影響を考えるための「目安」として役に立つはずだ。

　まとめれば、**低線量被曝の健康への影響については、確かに「わからない」部分も多いが、まったく「わからない」というわけではない。いくつかの役に立つ目安がある**のだ。

4.6　確率的におきる出来事についての考え方

　低線量被曝によって「癌で命を落とす確率が少しだけ増えるかもしれない」という目安が与えられたとき、ぼくたちはその目安についてどう考えればいいのだろう？　たとえば、生涯で通算100ミリシーベルトの（自然被曝以外の）被曝で「もともと25パーセントだった癌で死亡する確率が少しだけ増えて25.5

パーセントになる」というのは、どれくらい「ひどい話」なのだろう？　ここでは、そういったことを丁寧に考えてみたい。ちょっと長くて理屈っぽいけれど、気になる人は落ち着いて読んでほしい。

■ **運命のクジ引き**　あなたは一生に一度だけのクジ引きをする。商店街の抽選に使う機械（回転式抽選機というらしい）の中に 200 個の球が入っている。ガラガラとまわして、球を 1 個だけ出す。それが白玉だったらあなたは癌以外の原因で最期をむかえ、赤玉だったら癌で命を落とす[*57]。

もともと抽選機の中には赤玉が 50 個、白玉が 150 個入っていた。このときには、抽選で赤玉を出す確率は、$50/200 = 0.25$（つまり 4 分の 1）である。パーセントで表わせば、25 パーセント。これが赤玉の出るリスク、あるいは、癌で死亡するリスクだ（リスクについては、付録 B.1 を参照）。

さて、ここに悪者がやってきて、白玉を 1 個だけ抜いて、代わりに赤玉を 1 個入れていった。赤玉が 51 個で、白玉が 149 個になった。赤玉を出す確率、つまりリスクは、$51/200 = 0.255$ に増えた。パーセントで言えば、25.5 パーセント。つまり、悪者の行為によって、癌で死亡するリスクが 0.5 パーセントだけ上乗せされたことになる。これが、「公式の考え」による 100 ミリシーベルトの被曝の影響というわけだ。

これは、あなたにとってどれくらい「ひどい話」だろうか？

少し想像するとわかるだろうが、「200 個のうち 50 個が赤玉」というのと「200 個のうち 51 個が赤玉」というのとは、実際に 200 個の球を見せられても見分けられない程度の微妙な違いだ（図 4.10）。どっちにしろ赤が出る確率は、

[*57] 癌による死亡という重いテーマなのに商店街の抽選の話をするのは不謹慎に聞こえるかもしれないが、これは確率に支配された出来事について説明するための「たとえ話」なのでお許しいただきたい。写真は Wikipedia より転載、katorisi による。

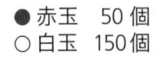

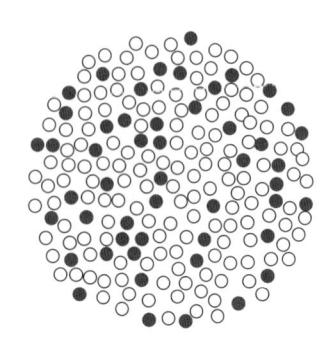

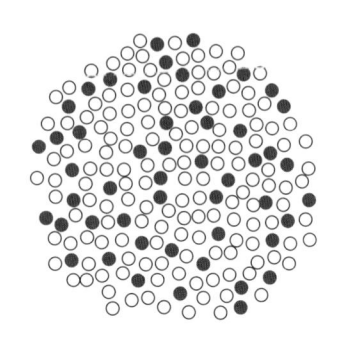

図 4.10　200 個の玉の中から一つをデタラメに選ぶ。左は、赤玉（図では灰色）50 個と白玉 150 個。赤玉を選ぶ「リスク」は 25 パーセント。右は、赤玉 51 個と白玉 149 個。赤玉を選ぶ「リスク」は 0.5 パーセントだけ「上乗せ」されて 25.5 パーセントになる。

ほぼ 4 分の 1。普通の抽選だったら気にならないレベル。でも、落ち着いて数えてみれば、赤玉は増えている！　数字を知ってしまえば、やはり気になるかもしれない。

　ガラガラとまわして、もし赤が出たら、あなたはがっかりするだろう。そして、「あそこで赤玉を入れた奴のせいで、癌になってしまった！」と怒るかもしれない。けれど、本当にそうなのかは誰にもわからない。あなたが出した赤玉はもともと入っていたんじゃないのか？　実際、98 パーセント以上の確率で、あなたが出した赤い球はもともと入っていた赤玉で、悪者が入れた赤玉とは関係ないのだ。だが、それだからといって「怒るのは非科学的だ」などと言うつもりはない。怒るのは人情だし、赤玉が増えたのは事実なのだ。

■ **大勢でクジを引く**　1 人でクジを引くのではなく、たとえば小学校の同窓生 200 人でやればどうなるだろう？　「元の通りのクジ引きなら赤を出す人数が 50 人。悪者が球を入れ替えたあとなら赤を出すのは 51 人。悪者の影響がばっちりわかるぞ！」と思うかも知れない。しかし、これは正しくない。

　癌の運命のクジ引きの場合、一人の抽選が終わったら、出た球をまた抽選機に戻してよくかき混ぜてから、次の人の抽選の番になる。**どの人も同じ条件で、他の人の結果とは無関係に、抽選をする**ということだ。そうすると、200 人のクジ引きが終わったあとでも、赤玉を出した人数は赤玉の個数とは普通は一致

しない。赤玉が 50 個だったとしても、赤を引いた人数が多めで 58 人だったり、少なめで 43 人だったり、いろいろと変わる。大ざっぱに言って、プラスマイナス 10 人くらいの「ばらつき」があるほうが普通なのだ。

つまり、200 人が抽選をした程度では、赤玉が 50 個から 51 個に増えた「ききめ」はほとんど出てこない。抽選の結果を見ても、赤玉が 50 個だったのか 51 個だったのかはわからないのだ。

しかし、抽選をする人数をどんどん増やしていくと「ばらつき」の効果は（相対的には）小さくなっていくことがわかっている[*58]。たとえば、数万人の人が同じ「癌の運命のクジ引き」をしたとすると、「赤玉が 50 個」の場合と「赤玉 51 個」の場合を区別できるようになる。「悪者」が赤玉を 1 個増やしたということが、癌による死亡者の数の統計からわかるようになるのだ。逆に言えば、「確率の 0.5 パーセントの上乗せ」の効果は数万人の人が関わってようやく見つかるということだ[*59]。

「癌の運命のクジ引き」について、もう一つ大事なのは、クジ引きで結果が出たあとも、誰が「悪者が入れた赤玉」を引いたのかはわからないということだ[*60]。赤玉を引いてしまった人たちのほとんどは、「悪者」とは関係ない赤玉を引き当てているのだ。

■**癌のリスク**　ここまでずっと「商店街のクジ引き」の「たとえ」で話を進めてきた。しかし、実際の癌のリスク（確率）のことを考えると、話はずっとずっとむずかしくなる。

まず、個人差の問題がある。たとえば、ごく自然な状態でも、癌になる割合は、男性のほうが女性よりもずっと高い。つまり、男女で違う抽選機を使っていることに相当する。他にも、4.5 節で述べたように、被曝による影響には様々

[*58] 実は、このへんはぼくの専門の「統計物理学」という（すごく面白い）分野と深く関係しているのだ。でも、その話はまた別のところで。
[*59] だから「効果は小さい」とも言えるけれど、「見つかろうが見つかるまいが『上乗せ』があるという事実に変わりはない」という意見も正しい。
[*60] クジ引きではなく、本当の癌の場合、癌の性質を細胞レベルで詳しく調べれば、発癌の原因が特定できるようになるかもしれない。ただし、現在の医学・生物学では、そこまではわからないそうだ。

な個人差があり、話をややこしくしている。

　話をもっと難しくするのは、たとえ原子力発電所事故による被曝がまったくなかったとしても、人が癌で死亡する確率はいろいろな原因でどんどんと変わっていくということだ。たとえば、タバコを吸う人の数、食生活、空気の汚れ具合、人々が感じる精神的ストレスなどなど、さまざまな理由で癌で死亡する確率は変化すると考えられている。だから、そもそも被曝がなかったときに癌による生涯死亡リスクがいくつなのか、クジ引きで言えば、悪者が来る前に抽選機に赤玉が何個入っていたか、正確なことはわからないのだ。だから、「（自然被曝以外に）生涯で通算100ミリシーベルトを被曝すると癌で死亡するリスク（確率）が0.5パーセント上乗せされる」と言っても、それを実際の癌による死亡者の数から確かめるのはかなり難しいことになる。

■ **どう考えるのか**　以上、長々と説明したことを踏まえて、では、どう考えればいいのか？　もちろん、いくつかの考え方がある。

　まず、個人の生き方としての観点は大ざっぱに「気にしない派」と「気にする派」に分けられるだろう。

- **気にしない派**：もちろんいつかは死ぬ。癌になる可能性だって半々くらいあるし、それで死ぬ可能性も半々。「50個だった赤玉が51個になる」と言われても自分の人生にとっての影響はすごく小さい。そんなことは気にしなくていいでしょ。
- **気にする派**：できれば癌にならずに天寿を全うしたい。たとえわずかであっても、自分が癌で死亡する確率が上がるのは不快だ。お酒を飲めば癌の確率が上がることは知っているが、そのときにはお酒を飲む楽しみがある。原子力発電所の事故で被曝しても何の利益も喜びもないのだ。たとえ1パーセントでも0.5パーセントでも認めたくない。

　あるいは、社会全体について考えるときも、やはり「気にしない派」と「気にする派」があるだろう。

- **気にしない派**：癌で死亡する確率が 0.5 パーセント上がるとしても、それは実際問題としてほとんど確かめようがない（それに、「公式の考え方」は間違いで、本当は確率は上がらないかもしれないじゃないか）。そんなことを気にするくらいなら、タバコの害を減らすといった対策を考えるほうがずっと大事。
- **気にする派**：たとえ 0.5 パーセントであっても、1000 人いれば 5 人、10 万人いれば 500 人程度の人が余分に癌で死亡するかも知れないのだ。それが統計に現われないほどの小さな効果なのだとしても、500 人の命を奪うということを軽々しく考えてはいけない。

どの考えも筋が通っているので、ぼくとしてはどれを推薦するということはない。特に、個人としては、自分の感じ方とか人生観とかで、好きな考え方を選んでいいと思う。ただし、**政府や地方自治体のように人々を守るべき立場から、個人に【気にしない派】の考えを勧めるのは許されない**ことだと考えている。個人には、「気にする自由」があり、また、「気にしない自由」がある。それは政府にとやかく言われることではない。

政府や地方自治体には【気にする派】の人々も納得して暮らせるように最大限の努力をする義務がある。政府や地方自治体は、低線量被曝の問題を十二分に「気にし」ながら、様々なリスクと便益をしっかりと秤にかけ、住民とつねに意見や情報を交換しながら、ものごとを決めていかなくてはならないのだ。

4.7　子供の被曝は別格に考える

最後に、子供の被曝は別格に考えなくてはいけないということについて書いておきたい。「子供は社会の宝だから、そんなことは物理学者などに言われるまでもなく知っている」と思うかも知れない。しかし、これは精神論ではなく、科学的な事実にもとづく客観的な主張なのだ。

■**一般的な考え方**　まず、同じ病気にかかるにせよ、**若い頃に健康を害するほうが人生全体へのダメージが大きい**と言っていいと思う。若い頃の時間は貴重

だからだ。これだけでも子供を心配する理由としては十分だ。

さらに、DNA に傷がついて癌が増えるということだけを考えるとしても、子供を別格に扱うべき理由が二つある。

まず、仮に DNA についた傷が同程度だったとしても、若い頃に被曝したほうが実際に癌を発症する可能性が高いということがある。これは、被曝の影響は年月が経っても消えず、そして、若い頃に被曝したほうが残りの人生が長いからだ。

さらに、**同程度の放射線を被曝したとしても、子供のほうが DNA に多くの傷をつけられる**こともわかっている。子供の頃のほうが細胞分裂の頻度が高いからだと考えられる。

■**広島・長崎の調査結果**　実際、これらの考えは広島・長崎の被爆者の追跡調査（LSS）からも確かめられている[*61]。

図 4.11 は、被爆したときの年齢とその後の癌の発症の関係を表わしたグラフ

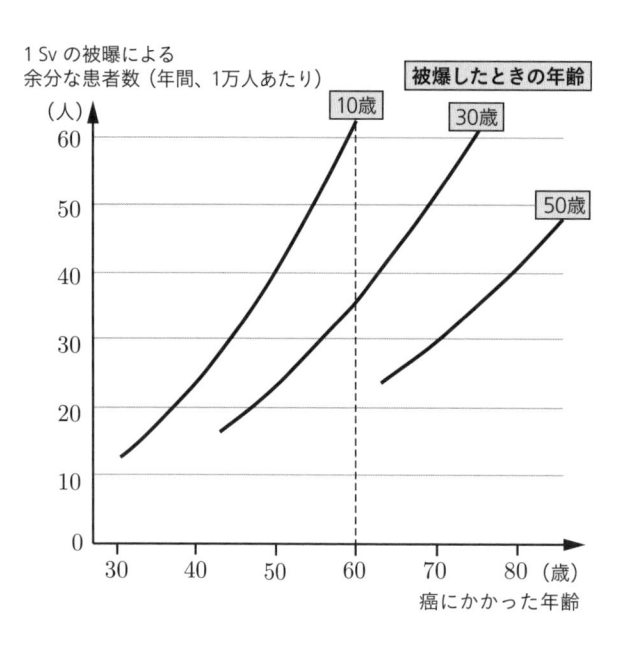

図 4.11　被爆したときの年齢ごとに、その後、癌を余分に発症した（年間、1 万人あたりの）人数を示したグラフ。広島・長崎の被爆者についての LSS（寿命調査）にもとづく理論的なモデル。Preston et al. Radiation Res. **168**, 1–64 (2007) の Fig. 4 をもとに作図した。

[*61] より詳しいデータなどは、ぼくの解説「子供の被ばくに気をつけなくてはいけないのは何故か」をご覧ください。http://www.gakushuin.ac.jp/~881791/housha/details/earlyage.html

である。LSS の結果をもとにして作った理論的なモデルだ。

ここでは、1 Sv の被曝をした人が、ある年齢に達したとき、被曝していない人に比べてどれくらい余分に癌にかかるかを見ている。横軸は癌を発症した年齢で、縦軸は被曝による余分な癌患者が 1 年間に 1 万人の中に何人現れるかを示す。三本の曲線は、それぞれ、被爆したときの年齢が 10 歳、30 歳、50 歳の場合を表わしている。

10 歳で被爆した人たちについての曲線からまず読み取れるのは、**幼い頃の被曝の影響は年齢が高くなっても消えない**ことである[*62]。被爆から 50 年後でも影響は残っている。DNA についた傷が長い時間をかけて顕在化して癌の発症につながったと考えられる。

さらに、三つの曲線を比較すると、**被曝した年齢が低いほど受ける影響が大きい**ことがはっきりとわかる。たとえば、同じ 1 Sv を被曝した人たちが、60 歳になったとき、年間にどれくらい余分に癌になるかを見てみよう（グラフの中の点線）。50 歳で被爆した場合は 10 万人あたり約 20 名、30 歳で被爆した場合は 10 万人あたり約 35 名、10 歳で被爆した場合は 10 万人あたり約 60 名。被爆したときの年齢が下がるにつれて人数は着々と増えている。リスクの比較は難しいが、仮にこの数字だけで比べれば、10 歳で被曝した人のリスクは、50 歳で被曝した人の約 3 倍ということになる[*63]。

■ **妊婦と胎児の被曝について**　妊娠している人が被曝すると、お腹の中の胚や胎児も一定の被曝をする。被曝線量が高いと、受精したばかりの胚が死亡して妊娠が終了することもあるし、場合によっては胎児に何らかの影響が出て先天性の異常につながることもある。

ただし、そういった胎児への影響は、被曝線量がおおよそ 100 mSv を上回るあたりから有意に発生するというのが一般的な見解だ[*64]。福島第一原子力発電

[*62]　ただし、これは原子爆弾による短時間の被曝の場合である。
[*63]　ICRP でも、小児期早期の被曝の場合は、癌の生涯リスクを標準人の 3 倍としている。
[*64]　より低線量でも IQ の低下はおきるのではないかという論争があったが、今では主流の専門家はそのような効果はないと判断しているようだ。いずれにせよ、論争があったということは、低線量では、影響があったとしてもきわめて小さいと考えるべきだろう。R. L. Brent, American Journal of Obstetrics & Gynecology, January 2009, 4–24 は、妊婦の被曝についての総合報告である。

所の事故の際に妊娠していた人が、短期間にそれだけの線量を被曝することは考えられないだろう。

胎内で被曝した子供が異常なく生まれてきた後、被曝していない子供に比べて癌にかかるリスクが高くなる可能性がある。実際、妊婦へのレントゲン（X線）検査のために胎内で被曝した子供の小児癌が増加したという調査結果があり、この場合には、10 mSv 程度の被曝から影響が見られたと言われている[*65]（ちなみに、今日では、緊急の場合を除けば、妊婦がその線量の X 線を浴びることはない）。ただし、胎児は被曝の影響をほとんど受けないとする研究結果もあり[*66]、専門家のあいだでの決着はなかなか着かないようだ。ICRP の 2007 年勧告（ICRP publ. 103）では、胎児についても、小さな子供と同様に、標準人の 3 倍程度の癌のリスクを見込むように提案している。

---

*65　R. Doll and R. Wakeford, British J. Radiology, **70**, 130 (1997) では、10 mSv の被曝で、小児癌のリスクが 1.4 倍に増えたとされている。もともとの発症数が少ない病気とはいえ、1.4 倍というのは大きい。

*66　脚注 *64 に挙げた論文を参照。

第5章
放射性セシウムによる地面の汚染

「応用編」の一つ目として、放射性セシウムによる地面の汚染について、いくつかの話題をとりあげる。空間線量率をもとに、地面の汚染密度や、ぼくたちが受ける被曝量を見積もる「実用的な」計算方法も紹介する。

5.1 汚染の大まかな様子

3.2 節でも取り上げたように、事故をおこした福島第一原子力発電所からは大量の放射性物質が外界に放出された。放射性物質の一部は風に乗って、発電所から遠く離れたところにまで飛ばされていった。多くの放射性物質は海に向かったが、一部は人の住む陸地の上を吹く風に流されていき、雨とともに地面に降り注いだ。

関東での空間線量率の変化の様子などから、2011年3月14日、15日あたりの初期の爆発の時期にかなり多くの放射性物質が降り注ぎ、さらに、3月21日にも大規模な降下があったことがわかっている。当初は、ヨウ素131、セシウム134、セシウム137などの放射性物質が降り注いだと考えられる。半減期が8日のヨウ素131は急激に崩壊し、1, 2ヶ月の後には地面の汚染の主役はセシウム134とセシウム137という二種類の放射性セシウムになった。

地面にあるセシウムは、土壌の粒子の表面に強くくっついていて、水にもほとんど溶け出さない[*1]。そのため、セシウムは土といっしょに動くだけで、通

---

*1 **理系読者向けの注意**：セシウムは、たとえば体内に吸収されたときには1価の陽イオンになって水に溶けるのだが、土壌の中では粘土鉱物などと強く結合することが知られている。

常はほとんど移動しない。セシウム 134 の半減期は約 2 年、セシウム 137 の半減期は 30 年なので、これらの放射性物質による地面の汚染はこれからも長いあいだ続くことになる。

以下では、放射性セシウムによる地面の汚染に注目しよう。

■ **各地での汚染**　2.3 節でも触れたように、地面の汚染は、一定の面積の地面にどれくらいの放射性セシウムがくっついているかを表わす**汚染密度**で特徴づける。汚染密度の標準の単位はベクレル毎平米（Bq/m^2）である[*2]。$1\,Bq/m^2$ の汚染ということは、1 平方メートル（$1\,m^2$）の地面に 1 ベクレル（$1\,Bq$）のセシウムがくっついているということだ。この本では使わないが、汚染密度がもっと大きい場合にはキロベクレル毎平米（kBq/m^2）という単位を用いることもある。キロベクレル毎平米とベクレル毎平米は、

$$1\,kBq/m^2 = 1000\,Bq/m^2, \quad 1\,Bq/m^2 = 0.001\,kBq/m^2$$

という関係で結ばれている[*3]。

どの程度の汚染を「ひどい」と考えるべきかの一つの目安は、放射線管理区域を設定するための基準となる汚染密度が 4 万 Bq/m^2 と定められているということだろう。放射性物質を扱う施設などで、この密度で放射性物質に汚染された場所があれば特別に管理しなくてはいけないということだ。残念なことに、今の日本では、かなり広範な地域が 4 万 Bq/m^2 以上の密度で汚染されている。ただし、対応する空間線量を考えると、汚染密度が 4 万 Bq/m^2 を超えたからといってきわめて危険だとも言えないようである[*4]。

[*2]　平米については、16 ページの脚注 [*21] を見よ。
[*3]　**理系読者向けの注意**：MBq/km^2 という単位も使われるが、これは（たまたま）Bq/m^2 と同じになる。確かめるには、$1\,MBq = 10^6\,Bq$, $1\,km = 10^3\,m$ を使って $MBq/km^2 = (10^6\,Bq)/(10^3\,m)^2 = Bq/m^2$ となることを見ればいい。「10 のべき乗」については、付録 A.2 を参照。
[*4]　放射線管理区域設定の基準として、空間線量率、空気中の放射性物質の濃度、地表の放射性物質の密度の三つが定められている。ちなみに、空間線量率の基準は $2.5\,\mu Sv/h$ で、これはかなり高い値である。これに対して、すぐ後の 5.2 節で見るように、4 万 Bq/m^2 の汚染密度に対応する空間線量率は、約 $0.13\,\mu Sv/h$ なので、空間線量率での基準よりはずっと小さい。

測定地	降下量 (Bq/m²)	
	セシウム134	セシウム137
山形県（山形市）	11000	10000
福島県（双葉郡）	3100000	3340000
茨城県（ひたちなか市）	18000	17000
栃木県（宇都宮市）	5800	5700
群馬県（前橋市）	4700	4700
埼玉県（さいたま市）	5400	5300
千葉県（市原市）	4400	4900
東京都（新宿区）	8500	8100
神奈川県（茅ヶ崎市）	3500	3400

表 5.1 2011年3月のいくつかの都市でのセシウムの降下量。単位はベクレル毎平米（Bq/m²）。文部科学省の「環境放射能水準調査結果（月間降下物）」による。
http://radioactivity.mext.go.jp/old/ja/
「環境一般等のモニタリング > 全国的なモニタリング > 定時降下物」をクリックし、その先のページで「過去の結果 > 定時降下物のモニタリング（平成23年3月）」をクリック。

　表 5.1 に、いくつかの都市での 2011 年 3 月の放射性セシウムの降下量を示す。空から降った雨や埃を採取し、その中の放射性セシウムの量を分析して得られたデータである。セシウム 134 と 137 を合計すれば、茨城県のひたちなか市で約 3 万 5 千 Bq/m²、東京の新宿でも 1 万 7 千 Bq/m² 近い量の放射性セシウムが降り注いでいる。福島県の双葉郡での降下量は 600 万 Bq/m² を上回っている。なお、降下した放射性セシウムがすべて地面に残るわけではないだろう。一般には、地面にくっついている放射性セシウムの量は降下した総量より少ないと考えられる。

　図 5.1（次ページ）は、放射線の測定から求めた広範囲の地面の汚染状況を示したものである。黒く塗られた地域での汚染密度は 3000 kBq/m²、つまり、300 万 Bq/m² を超えている。放射線管理区域の目安が 4 万 Bq/m² だったことを思い出せば、これが如何にすさまじい汚染かがわかる。

　また、平均すると汚染がそれほど高くない地域にも、狭い範囲での汚染密度が極端に高い**ホットスポット**が作られていることがある。放射性物質が運ばれて地面に降り注いだ際に、たまたま条件が重なって放射性セシウムの密度の高

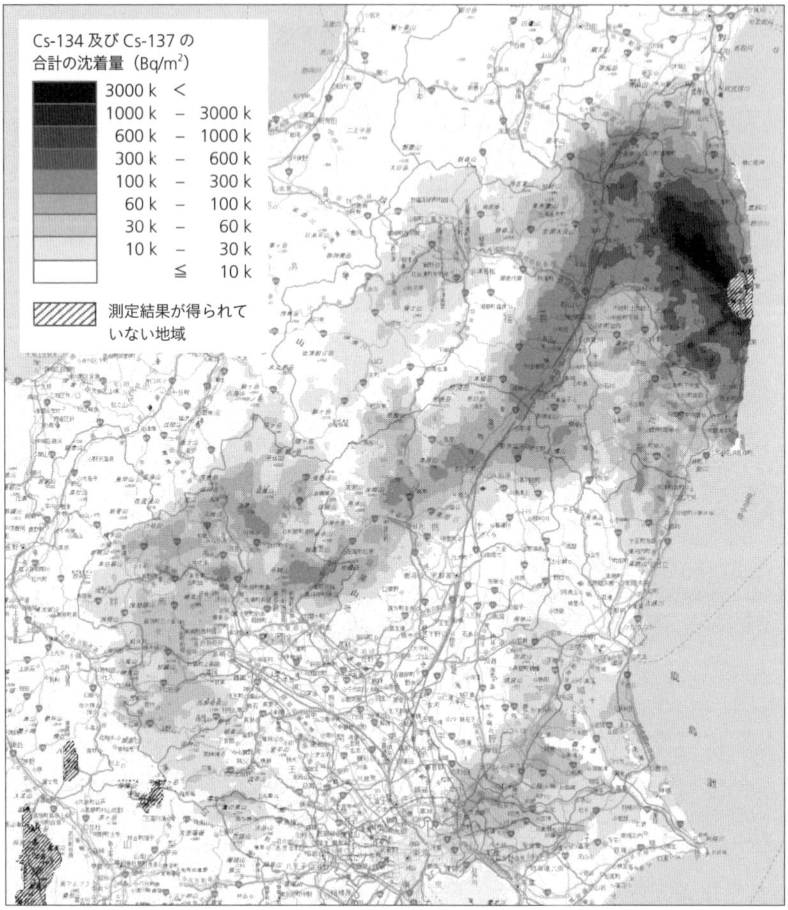

図 5.1 2011 年の放射性セシウムによる汚染の状況。真っ黒の領域は 300 万 Bq/m² 以上、次に濃いグレーの領域は 100 万 Bq/m² 以上の汚染を表わす。濃淡の中間あたりのの「100k–」というのが 10 万 Bq/m² 以上、薄いグレーの「10k–」というのが 1 万 Bq/m² 以上を表わす。文部科学省「放射線量等分布マップ・拡大サイト」より。
http://ramap.jaea.go.jp/map/

い地帯が生まれたと考えられる。さらに、放射性セシウムが付着した土が雨水の流れなどによって運ばれて特定の場所に集まり、新たに小さなホットスポットを作る例も見つかっている。

■ **1960 年代の放射性物質の降下** 1950 年代以降、アメリカやソ連が核爆弾をたくさん作り、実験のために大気圏内でどんどん爆発させた。そのために大量の放射性物質が世界中にばらまかれ、日本にも降ってきた。

図 5.2 は、1950 年代後半から 1990 年の期間に、1 年間に東京に降り注いだセ

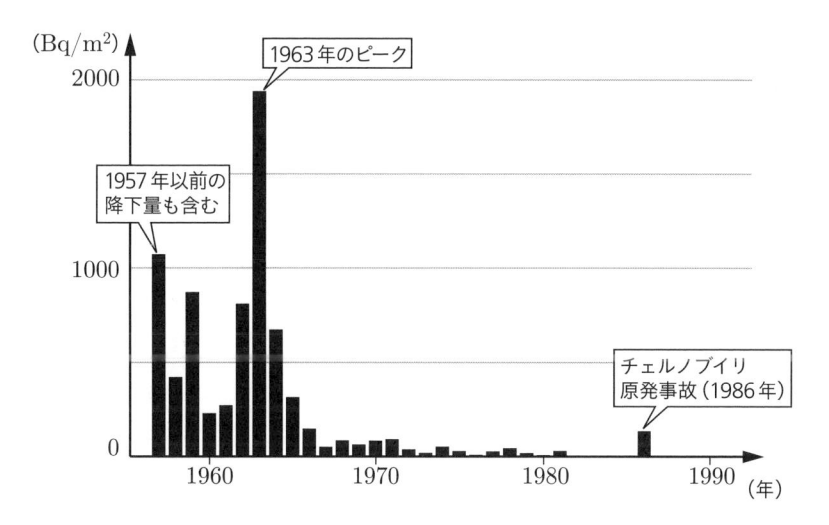

図 5.2 1957 年から 1990 年までの、東京での年間のセシウム 137 の降下量。縦軸の単位は Bq/m² である。このグラフの時期の降下量の総計は約 7600 Bq/m² になる。

シウム 137 の量をプロットしたものだ。一番最初の 1957 年のところには、1957 年以前の降下量を足しあわせたもの（の推測値）を示した。1960 年代前半までやたら量が多くて、その後はどんどん減っていき、1986 年のチェルノブイリ原子力発電所の事故のときに一時期だけポンとあがっているのがわかるだろう。この先、2010 年までプロットしてもほとんどゼロのそばに並ぶだけなので省略した。

表 5.1 と比べてみると、如何に今回の事故による放射性物質の降下が多かったかがわかる。事故のあとの短期間で東京の新宿に 1 万 7 千 Bq/m² 近い放射性セシウムが降下したわけだが（表 5.1）、これは、上のグラフのすべての時期を足し合わせた降下量の倍以上である[*5]。

一方、「昔に比べてたくさんの放射性物質が降ったから、今回の被害はすさまじいはずだ」とあわてて考えるべきでもない。

なにしろ 1950 年代、1960 年代には、放射性物質が日本中に（というか、世界中に）くまなく降り注いだのだ。基本的にすべての農作物が（少しずつとはいえ）放射性物質に汚染され、それが、ぼくら[*6]の口に入ったことになる。

[*5] 一時期、「1960 年代の放射性物質での汚染は、今回の福島の事故での汚染よりずっとひどかった（だから心配は無用）」という話をする人がいたが、それは純粋な勘違いだろう。
[*6] その時期、ぼくはちょうど（被曝に敏感な）乳幼児でした。

一方、今回の事故のあとでは、食品中の放射性物質の検査が行なわれ、放射性物質が口に入らない努力が行なわれている。その努力が功を奏して、今のところ、福島など汚染のひどい地域でも、放射性セシウムによる内部被曝は1960年代の最悪の時期の平均よりも低いレベルに抑えられているようだ。この点については、後で6.4節で取り上げる。

■ **除染について**　土の粒子にくっついたセシウムは、土の流れに伴って移動したり、徐々に土の深いところに移動していくようだが、その動きはゆっくりしている。土壌中ではセシウムはほとんど水に溶けないので[*7]、雨が降って水が流れた程度では、セシウムはほとんど流れてはいかない。

何も対策をしないと、何年にもわたって地上に放射性セシウムが残り、放射線を出し続けることになる。もちろん、放射性セシウムは崩壊して少しずつ減っていくわけだが、その減り方はきわめてゆっくりしている。セシウムの移動がなければ、放射性セシウムからの放射線は、事故から3年で約半分にまで減るが、その後の減り方はゆるやかで、10分の1になるのは事故から40年以上の後だ（96ページの図5.5で詳しく説明する）。

2.5節などで強調したように、放射性のセシウムを非放射性の物質にさっさと変える実用的な方法は（今のところ）ない。ただ、放射性セシウムが半減期の法則に従って自分で壊れてくれるのを待ち続けるしかないのだ。

汚染のひどい場所では何十年も待っているわけにはいかないので、**除染**をすることになる。といっても、放射性セシウムを分解する手段がない以上、なにか魔法のような除染の方法があるわけではない。できるのは、**放射性セシウムを別の場所に移動して保管すること**、あるいは、**放射性セシウムを、放射線を通しにくいもので覆って、放射線を遮る**（遮蔽する）ことだけだ。

もちろん、放射性物質を集めて保管している場所からは放射線が出るから、人が近づかないようにする対策も必要だ。また、放射線を遮るには、ある程度の重さと厚さの物が必要になることも忘れてはいけない。残念ながら、「薄くて軽いが放射線を完全に遮蔽する、おどろきのビニールシート」などは原理的にあ

[*7]　脚注*1を参照。

り得ないのだ。

　この本では、除染の具体的な例、方法、あるいは、注意点には踏み込まない。実際にご自分で除染を手がける場合は、既に様々なノウハウが蓄積されているはずなので、どうか信頼できる情報を入手し、できれば、信頼できる経験者のアドバイスに従って取り組んでほしい。特に、除染作業の際に放射性物質を吸い込んで余分な内部被曝をしないよう、細心の注意を払っていただきたい。

5.2　地面の汚染と放射線

　2.2節（特に図2.4、表2.1）で説明したように、不安定なセシウムの原子核が崩壊すると、ベータ線とガンマ線が飛び出してくる。2.4節（特に表2.2）で見たように、ベータ線は空気の中を少し進むだけで弱くなって消えてしまう。一方、ガンマ線は空気中を百メートル以上も進むので、地面に付着した放射性セシウムの発するガンマ線は、地上にある様々なものを貫く。

　■**空間線量の原因**　地面に付着した放射性セシウムからのガンマ線が、事故のあと日本の各地で観測されている「通常よりも高い空間線量率」の原因である。2.4節、4.2節で説明したように、**空間線量率**（略して、空間線量、線量率、線量などとも言う）とは、「放射線の強さ」を表わす量で、通常はマイクロシーベルト毎時（µSv/h）の単位で測る。線量計を地面から1メートルの位置に固定して測った線量率を使うのが標準になっている。

　「空間線量率」という呼び名で「空間」と言っているのは「空間を通過する放射線」を測っているという意味で、別に、空気中にある放射性物質を測っているわけではない。実際、今の日本では、空気中にもある程度の放射性物質が漂ってはいるが、それらに起因する放射線はきわめて弱い。「空間線量率」の主要な原因になっているのは、あくまで地面の放射性セシウムなのだ。

　より正確に言えば、線量計で測られる空間線量率は、福島第一原子力発電所での事故とは無関係な自然界の放射線[*8]の線量率と、新たに地面を汚染した放射

[*8] 空から降り注ぐ宇宙線と大地からの放射線。4.2節の最後を見よ。

性セシウムから出てくる放射線の線量率を合計したものである。だから、セシウムからの線量率を知るためには、事故の前の同じ場所での空間線量率を知っている必要がある。残念ながら 2011 年 3 月よりも前から空間線量率を測っていた場所はあまり多くない。正確な値がわからないときは、近い測定点での値や、平均的な値である 0.04 μSv/h で代用する。

なお、自然放射線の強さもつねに一定しているわけではなく、いろいろな条件で少しずつ変化する。たとえば、雨のあとには空間線量率が少し増えるのだが、これは大気中を漂っていたビスマス 214 という放射性物質が雨といっしょに地面に降ってくるからだ。大気中のビスマスはラドンの崩壊で作られるもので、原子力発電所の事故とは関係ない。「雨のあとに放射線量が増える」のは、人類の文明とは無関係な自然現象なのだ[*9]。

福島第一原子力発電所の事故が未だに収束しておらず、今でも（わずかとはいえ）放射性物質が空気中に漏れていることを 3.2 節で書いた。だが、（そんなことはあり得ないけれど）仮に今、原子力発電所事故が本当の意味で収束し、原子力発電所からはいっさい放射線も放射性物質も漏れ出さなくなったとしても、各地での空間線量率が下がるわけではない。すでに、日本のあちらこちらの地面がしっかりと放射性セシウムで汚染されていて、それは福島第一原子力発電所の様子とはもはや関係がないからだ。

「原子力発電所さえ収束すれば、各地の放射線もなくなる」と素朴に思っていた人もいたようだ。しかし、現実は、「最強の敵」を倒せばそれまで荒れ果てていた世界がたちまち美しく平和になるファンタジー映画の世界とは違うのだ。

■ **空間線量率と地表の汚染密度の関係**　地面の放射性セシウムによる汚染密度と空間線量率の関係を見ておこう。

具体的な関係を見るために、理想化した状況を考える。百メートル四方以上に広がった平らな地面があり、その表面だけが一様に放射性セシウムに汚染さ

[*9] 事故の少し後には、雨が降って空間線量率が上がるたびに「原発で何かトラブルがあったのでは！」という憶測が飛び交ったものだ。

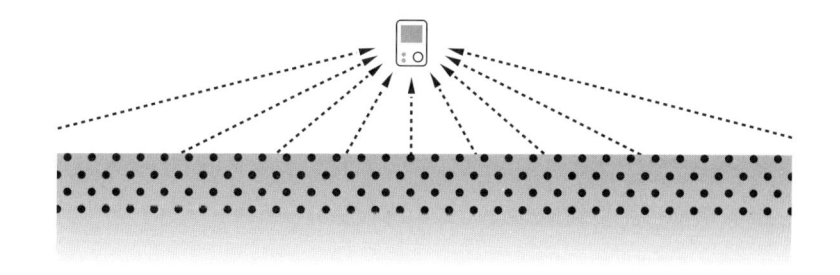

図 5.3 ガンマ線は空気中を百メートル以上飛ぶので、高さ 1 メートルの位置に置いた線量計には、主として数十メートル四方の地面の放射性セシウムからの放射線がやってくる。線量計でカウントしているのは、それらの総計である。

れているとしよう。ここで、地面から高さ 1 メートルのところに線量計を置いて、空間線量率を測る（図 5.3）。このとき、線量計には主として数十メートル四方の地面から飛んできたガンマ線が入射する。

入射するガンマ線の総量を計算すると*10、地面の汚染密度と（セシウムから出てくる放射線の）空間線量率は、大まかには、

（セシウムからの）空間線量率 $1\,\mu\mathrm{Sv/h}$ $\longleftrightarrow$ 30 万 $\mathrm{Bq/m}^2$ の汚染

のように対応することがわかる。セシウムからの空間線量率は、実測される空間線量率から事故以前の線量率を引いたものである。

セシウムからの空間線量と汚染密度は比例するので、上の関係で、矢印の両側に同じ数をかけてもかまわない。これを使えば、いろいろな状況で空間線量率と地面の汚染密度を関係づけることができる。以下、二つの応用例を見るので、読者にとって興味ある状況で、自分でも計算してみてほしい。

まず、空間線量率から地面の汚染を見積もる計算をしよう。これは応用の幅が広いと思う。

例 1：ある土地での空間線量率が $0.67\,\mu\mathrm{Sv/h}$ だったとしよう。このうち、

---

*10　2012 年を想定して、セシウム 137 とセシウム 134 の（ベクレルで表わした）比を 6 対 4 とした（付録 B.4 を参照）。これは以下の計算についても同様。詳しくは、ぼくの解説「地表のセシウムによるガンマ線の空間線量率」をご覧ください。http://www.gakushuin.ac.jp/~881791/housha/details/CsonGround.html

$0.04\,\mu\mathrm{Sv/h}$ が事故前からの自然放射線だとして引き算すれば、$0.67\,\mu\mathrm{Sv/h} - 0.04\,\mu\mathrm{Sv/h} = 0.63\,\mu\mathrm{Sv/h}$ がセシウムからの空間線量率。そこで上の関係に 0.63 をかけて、$30 \times 0.63 = 18.9 \fallingdotseq 19$ と計算すれば、

（セシウムからの）空間線量率 $0.63\,\mu\mathrm{Sv/h}$ ⟷ 19 万 $\mathrm{Bq/m^2}$ の汚染

となり、この土地の汚染密度はおおよそ 20 万 $\mathrm{Bq/m^2}$ とわかる。

逆に、ある汚染密度に対応する空間線量率を求める計算の例を見よう。

例 2：放射線管理区域に対応する 4 万 $\mathrm{Bq/m^2}$ の汚染に注目しよう（5.1 節を見よ）。もとの関係に $4/30 \fallingdotseq 0.13$ をかければ、

（セシウムからの）空間線量率 $0.13\,\mu\mathrm{Sv/h}$ ⟷ 4 万 $\mathrm{Bq/m^2}$ の汚染

という対応が得られる。このときのセシウムからの空間線量率が $0.13\,\mu\mathrm{Sv/h}$ とわかった。事故前の空間線量率を $0.04\,\mu\mathrm{Sv/h}$ と仮定すれば、トータルの空間線量率は $0.17\,\mu\mathrm{Sv/h}$ となる。

今でも $0.2\,\mu\mathrm{Sv/h}$ 程度の線量率が一部の地域では珍しくないことを思うと、福島第一原子力発電所の事故による汚染がどれほどひどいものかがわかる。

なお、ここでの関係は、あくまで十分に広い地面の表面だけが一様に汚染されたことを想定して求めたものである。実際には、セシウムによる汚染は一様ではないし、土壌の地面などではある程度の深さまでセシウムがしみこんでいる。また、建物などの障害物があれば、放射線がやってくる地面の範囲も狭くなる。上の関係は、あくまで大ざっぱな目安として使うべきだろう。

■ **どれくらい遠くからの放射線を測っているのか** 線量計には、図 5.3 のように、遠くの地面からの放射線も入ってくる。だいたいどれくらい遠くからどの程度の放射線がやってくるのか、大ざっぱな見積もりをしておこう。ここでも、広い地面の表面だけが一様にセシウムに汚染されているとして、高さ $1\,\mathrm{m}$ の地点に線量計を固定して空間線量率を測ることを考える。

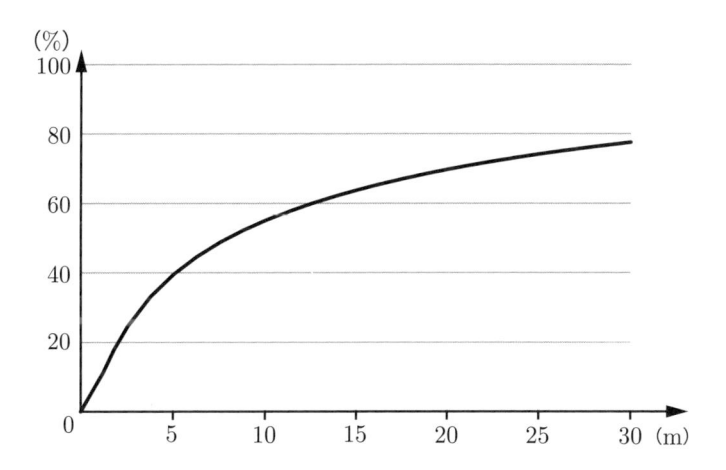

図 5.4 線量計の真下の地面を中心にした円の内側からの放射線が全体のカウントの何パーセントを占めているかを示したグラフ。横軸が円の半径。半径が 1 m ならわずか 8 %、2 m なら 20 %、5 m なら 40 %。半径 8 m でようやく 50 % になる。

　線量計の真下の地面を中心にした半径 2 m の円を考える。放射線の進み方を計算してみると[*11]、線量計がカウントしている放射線のうち、この円の内側の地面から届いているのは約 20 パーセントに過ぎないことがわかる。残りの 80 パーセントは半径 2 m の円の外側の地面から届いているのだ。

　図 5.4 に、様々な半径の円について同じように「カウントした放射線の何パーセントが円の内側から来ているか」をプロットした[*12]。半径をかなり大きくしても、なかなか割合が 100 パーセントに近づかないことがわかる。カウントした放射線の 90 パーセントを拾うためには、なんと半径 70 m の円を考える必要がある。

　ほとんどの場合、放射線を計測している場所の周囲は、見晴らしのよい平原などではなく、周囲を森や建物で区切られたところだろう。その場合には、ここでいう円の内側からだけの放射線をカウントしているのに近い状況になる。地面の汚染密度に比べて、線量は少なめになるということだ。

[*11] 詳しくは脚注 *10 に挙げた解説を参照。
[*12] 土壌にセシウムが染みこんでいる場合は、近い距離からの寄与がもっと大きくなる。脚注 *10 に挙げた解説の付録を参照。

5.3 空間線量率と被曝線量

地面にくっついた放射性セシウムからの放射線による被曝の実効線量（被曝線量、被曝量、線量とも言う）がどれくらいになるか、簡単な見積もり方を紹介する。実効線量は、年間とか、生涯通算とか、一定の期間の積み重ねで考えるものだったことを思い出しておこう（4.2 節を見よ）。

なお、以下で紹介する被曝量の見積もりは、あくまで「簡易版」で、放射性セシウムによる汚染がそれほど重くはない「ほどほどに線量が高い地域」で使うことを想定している。この本では扱わないが、**福島の中でも線量の高い地域では、適切な方法で、個々人の被曝量を正確に把握する必要がある**[*13]。

■**年間の被曝線量の見積もり方**　$1\,\mu Sv/h$ は、1 時間浴び続けると $1\,\mu Sv$ だけ被曝する線量率だった。1 年は 365 日、1 日は 24 時間だから、1 年間を時間で表わすと、24 時間 × 365 = 8760 時間。だから、ごく大ざっぱな評価をするだけなら、1 年は大まかに 1 万時間とみなしてよい。空間線量率が $1\,\mu Sv/h$ なら、年間の被曝線量は約 $10000\,\mu Sv$ ということになるので、これをミリシーベルト（mSv）に換算すれば（換算法は 4.2 節を見よ）$10\,mSv$ になる。つまり、

空間線量率（単位は $\mu Sv/h$）の数字を 10 倍して単位を mSv に変えたものが、年間の被曝線量の大ざっぱな目安

ということだ。これは誰にでも暗算で計算できる被曝量の目安なので、ともかく「パッと見積もって」雰囲気をつかみたいときに便利だ。

[*13]　南相馬市では県内の 18 歳以下あるいは妊婦の希望者に個人積算線量計（ガラスバッジ）を貸与し個々人の被曝線量を測定している。以下の広報には、2011 年 10 月から 12 月までの 3 ヶ月間の 5000 人以上の外部被曝の線量のヒストグラムが紹介されている。6 割以上の人の被曝量が（0.1 mSv 刻みの集計で）0.2 mSv 以下である。単純に 4 倍して考えれば、年間の被曝量が 1 mSv 以下のペースということなので、外部被曝がかなりしっかりと抑えられていることがわかる（初期の被曝の線量率はより大きかったはずだが）。一方で、13 人の結果が 1.1〜2.0 mSv となっていて、平均よりもずっと高いことは気にかかる。より大規模な調査をすれば被曝線量がさらに高い人も見つかると考えるべきだ。http://www.city.minamisoma.lg.jp/mpsdata/web/5746/0401-09.pdf

例：線量率が 2 μSv/h だったら年間 20 mSv くらいの被曝。線量率が 0.08 μSv/h だったら年間 0.8 mSv くらいの被曝。

政府などが空間線量率から年間の被曝量を見積もるときには、建物の中にいるあいだは放射線が弱まる効果を取り入れるのが標準になっている。人は 1 日 24 時間のうち 8 時間を外で過ごし 16 時間を屋内で過ごすと仮定し、また、屋内では放射線が 4 割の大きさに減ると仮定するのだ[*14]。

この仮定を受け入れると、屋内で 16 時間に浴びる線量は、屋外で 16 時間 × 0.4 = 6.4 時間に浴びる線量と等しいということになる。つまり、被曝線量のことだけを考えるなら「1 日の長さが 8 時間 + 6.4 時間 = 14.4 時間で、ずっと屋外で過ごす」のと同じということになる[*15]。この「1 日の長さ」に 1 年の日数をかければ、

$$14.4 \text{時間} \times 365 = 5256 \text{時間} \fallingdotseq 5260 \text{時間}$$

となる[*16]。

つまり、1 年間を約 5000 時間とみなせば、政府の標準のやり方で、屋内で過ごす効果を取り入れられるというわけだ。ここでも仮に線量率を 1 μSv/h とすれば、年間の被曝量は 5000 μSv、つまり、5 mSv ということになる。よって、この場合の「パッと計算する方法」は、

空間線量率（単位は μSv/h）の数字を 5 倍して単位を mSv に変えたものが、（建物の中に入る効果も取り入れた）年間の被曝線量の大ざっぱな目安

[*14] 屋内に入れば、地面の放射性セシウムからの放射線が弱まるのは確かだが、それがどの程度かは場合による。また、たとえば家の屋根が放射性セシウムに汚染されていれば、屋内にいてもかなりの放射線を浴びることになる。一律に「4 割」というのは乱暴な仮定だと思う。

[*15] 結局、屋内に入る効果を考えなかったときに比べると、全体の被曝線量が 0.6 倍されたことになる。

[*16] 2011 年 4 月の（悪名高い）「暫定的考え方」では、年間の被曝線量 20 mSv を 5260 時間で割った 3.8 μSv/h を福島の学校の校庭の使用の基準としていた。あるいは、2011 年 12 月に定められた「国が除染支援する地域の指定基準」では、線量率が 0.23 μSv/h の地域を対象にしている。これは、(0.23 − 0.04) × 5260 ≒ 1000 という計算によって、年間 1 mSv の（自然被曝以外の）被曝があるとする計算に基づいている。

となる。

例：たとえば、空間線量率が 0.44 μSv/h だったとする。(今度はもう少し丁寧に) まず自然放射線の線量率 0.04 μSv/h を引いて、事故の影響による余分な線量率は 0.4 μSv/h となる。この数字を 5 倍すれば 2 で、単位を付けかえて、(自然被曝以外に) 年間約 2 mSv の被曝線量ということになる。

■**野外活動などによる余分な被曝線量の見積もり**　「線量が高めの公園で遊ぶ」とか「線量の高い地域に遠足に行く」といった、普通の暮らし以外のイベントがどれくらいの被曝につながるのかも、大ざっぱに見積もっておくと便利かもしれない。難しいことではないので、なるべく計算が楽になるような考え方を具体例を使って示そう (具体例の数値に特別な意味はない)。

　イベントによる被曝を見積もるときには、日常的な被曝に対してどれだけ「上乗せ」があるかに注目するのがいいだろう。

例 (公園編)：普段は空間線量率が 0.3 μSv/h のところで暮らしているとする。たとえば、公園の砂場の線量が高くて 0.8 μSv/h だったとしよう。この砂場にいる間は、1 時間あたり 0.8 μSv − 0.3 μSv = 0.5 μSv の余分な被曝をすることになる。1 日に 3 時間を砂場で過ごすなら、余分な被曝は 0.5 μSv × 3 = 1.5 μSv になる。さらに、1 年のあいだに 200 日間、砂場に遊びに行くとすれば、砂場に行くことによる年間の被曝線量の上乗せは 1.5 μSv × 200 = 300 μSv と見積もれる。ミリシーベルトに直せば、0.3 mSv である。

例 (遠足編)：同じ子供が遠足で線量率が 3.5 μSv/h の地域に行くとしよう。余分な被曝は 1 時間あたり 3.5 μSv − 0.3 μSv = 3.2 μSv だ。遠足が 5 時間だとすると、1 回の遠足での余分な被曝は 3.2 μSv × 5 = 16 μSv になる。同じ遠足が年に 5 回あるとすると、遠足による余分な被曝線量は、年間で 80 μSv、つまり、0.08 mSv ということになる。

　このように、具体的な被曝線量を見積もり、自然被曝量 (のバラツキ) や

「公式の考え」と照らしあわせることで、それぞれのイベントが「どれくらい危ないか」についての一定の目安が得られると思う。「子供にとって、線量率が何 μSv/h 以上のところが危険なのか？」という質問をされることがあるが、大事なのは、線量率よりも、被曝した時間を取り入れたトータルの被曝線量だということを思い出そう。

線量が高めの場所での子供の「外遊び」について、泥いじりをさせて問題はないかとか、マスクをさせないで大丈夫かといった心配があるかもしれない。
自治体等によって立ち入りが問題視されている場所はともかく、一般的な地域で「線量がやや高い」程度であれば、泥いじりを禁止したり、つねにマスクをつけさせる必要はないだろうとぼくは思っている。文献等にある情報や、これまでの福島などでの実測値を見るかぎり、地面にくっついた放射性セシウムが風で舞い上がったもの（再浮遊したもの）を吸い込むことによる内部被曝の危険はかなり小さいようだ。子供たちには、（心配なら活動の時間を決めて）自由にのびのびと遊んでもらい、外から戻ったら手洗いとうがいを丁寧にさせる——という、ある意味で普通のやり方でよいのではないだろうか*17？　もちろん、各家庭での方針や考え方があるだろうから、これは、あくまで（子育てはずっと前に卒業した）一人の理論物理学者の意見として聞いていただきたい。
なお、野外活動を無理に控える必要はないとは言っても、山などで採った野生の植物やキノコを料理して食べるのは考えものだ。特に、キノコには放射性セシウムがたっぷりと含まれている可能性があるので（6.1 節の最初を見よ）、自分で採取して食べるのは（そして、特に子供に食べさせるのは）やめよう。

■ **空間線量率の時間変化と通算の被曝線量**　これまでは年間の被曝線量を見積もってきたが、もっと長く、数年、数十年といった期間での通算の被曝線量について考えてみよう。
ここで重要なのは、たとえ放射性セシウムが移動していかなくても、2.3 節

---

*17　これはぼくにとっては「不得意分野」なので、子育て真っ最中の（お子さんのことが心配でならない普通の）母親であり、かつ、放射線問題に取り組んで活躍されている知人たち（一人は物理学者、一人はお医者さん）の意見を大いに参考にした。

96 | 第5章 放射性セシウムによる地面の汚染

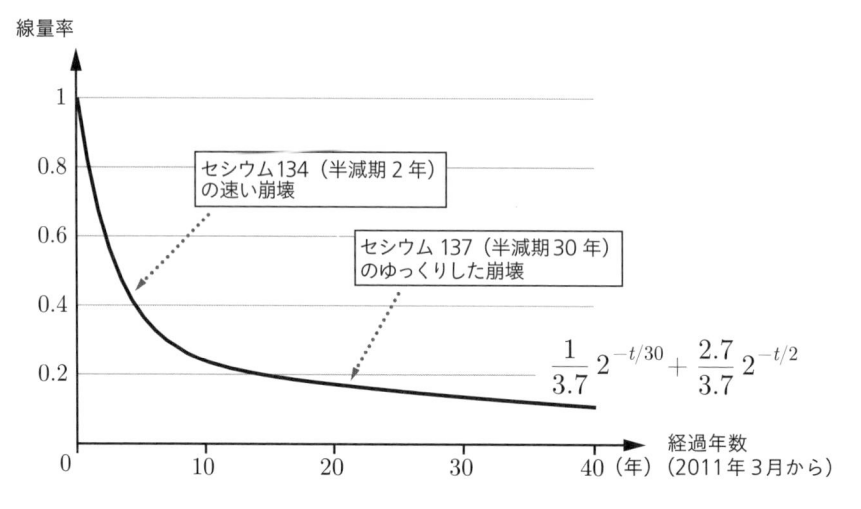

図 5.5 地面に付着した放射性セシウムがまったく移動しないと仮定したときの、セシウムからの放射線の空間線量率の時間変化。2011 年 3 月での線量率を 1 として、40 年間の変化をグラフに描いた。最初の 2, 3 年は半減期が 2 年のセシウム 134 が急激に減衰するために線量率はどんどん下がる。しかし、その後は、半減期が 30 年のセシウム 137 が主になるので、線量率はほとんど減らなくなってしまう。

グラフ中の式: $\dfrac{1}{3.7} 2^{-t/30} + \dfrac{2.7}{3.7} 2^{-t/2}$

で説明した半減期の法則に従って放射性セシウムの量は着々と減っていくということだ。そのため、セシウムからの放射線の空間線量率も下がってくる。図 5.5 に、2011 年 3 月から 40 年間の、セシウムからの放射線の線量率の変化を描いた[*18]。事故の直後のセシウムによる線量率を 1 としてある。初めの 2, 3 年は線量率はかなり順調に下がっていくが、その後の減り具合は随分とゆっくりしていることがわかる。

表 5.2 には同じものを表の形でまとめておいた。なんら除染をせず、またセシウムがまったく流れていかなかったとしても、事故から 3 年後の 2014 年の春には、セシウムによる線量率は当初の半分になる[*19]。一方、セシウムによる線量率が当初の 10 分の 1 に減るには 40 年以上がかかってしまう。

このようなセシウムの減衰の効果を考えにいれて、長期的な外部被曝がどれ

[*18] 計算の仕方については、ぼくの解説「セシウム 137 とセシウム 134」をご覧ください。http://www.gakushuin.ac.jp/~881791/housha/details/Cs137vs134.html
[*19] ちなみに、2011 年の夏に政府は「2 年後までに空間線量率を半分にする」という居住地域の除染の基本方針を発表しているが、これは何もしないのと大して変わらない「目標」である。

経過年数	0	1	2	3	5	10	43
線量率	1	0.78	0.62	0.51	0.37	0.23	0.10

表 5.2　図 5.5 と同じ量を表にした。セシウムが移動しなかった場合、セシウムによる線量率は 3 年で約半分まで減衰する。ただし、10 分の 1 に減衰するにはなんと 43 年もかかる。

期間	通算の被曝線量（mSv）
1 年間（2012 年 3 月まで）	10
2 年間（2013 年 3 月まで）	18
3 年間（2014 年 3 月まで）	24
4 年間（2015 年 3 月まで）	29
5 年間（2016 年 3 月まで）	34
10 年間（2021 年 3 月まで）	50
20 年間（2031 年 3 月まで）	72
30 年間（2041 年 3 月まで）	89
50 年間（2061 年 3 月まで）	114

表 5.3　2012 年 3 月の時点でのセシウムによる屋外での空間線量率が 1 μSv/h だった場合の通算の（放射性セシウムの外部被曝のみによる）被曝線量（正確には、実効線量）の概算。ただし、事故の直後からセシウムはまったく移動しないと仮定している。ここでは、屋内で放射線が弱くなる効果を取り入れていない。標準の方法では、この値を 0.6 倍することで屋内にいる効果を取り入れる（脚注 *15 を参照）。

くらいになりうるかを見積もっておこう。以下では、事故直後から、セシウムの移動（そして除染）は一切なく、今後もまったくないと仮定して、積算の被曝量を大ざっぱに計算してみる。

　表 5.3 は、（事故から 1 年後の）2012 年 3 月の時点でセシウムからの放射線の屋外での空間線量率がちょうど 1 μSv/h だったとして、事故直後にまでさかのぼって、セシウムからの放射線による外部被曝の実効線量が通算でいくらになるかをまとめたものである。これを使えば、様々な地域でずっと暮らし続けることによる余分な被曝線量を大ざっぱに知ることができる。

　例：2012 年 3 月の屋外での線量率が 0.20 μSv/h だったとする。まず、自然放射線による 0.04 μSv/h を引いて、セシウムからの線量率は 0.16 μSv/h となる。

表5.3の数値をすべて0.16倍すれば、この地域でのセシウムによる余分な被曝線量が求められる。たとえば、2011年3月から2021年3月までの10年間でのトータルの線量は、50 mSv × 0.16 = 8 mSv と求められる。さらに、屋内にいて放射線が弱まる効果を取り入れるなら、この結果を0.6倍して、約5 mSvという被曝線量が得られる。

第6章
放射性セシウムによる食品の汚染

「応用編」の二つ目として、放射性セシウムによる食品の汚染を取り上げる。ぼくたちの内部被曝に直結する話題だ。ここでは、日常的に一定量の放射性セシウムを摂取することがどれくらい「危ないか」を判断するための二つの実用的な考え方を紹介する。

6.1 食品の汚染と内部被曝

■**食品中の放射性物質** 3.2節、5.1節で取り上げたように、福島第一原子力発電所から放出された大量の放射性物質は、日本の陸地の広い範囲と周辺の海に降り注いだ。

放射性物質の一部は水源に降ったため、ぼくたちが口にする水道の水に混ざり込んだ。また、屋外で栽培されていた野菜の一部には放射性物質がそのまま付着してしまった。さらに、放射性物質で汚染された地面で育った植物は、根から（養分や水といっしょに）放射性物質を取り込んでいる。植物ではないが、キノコは菌糸からセシウムを吸収し、しっかりとため込んでしまうことが知られている[*1]。また、汚染された餌を食べた牛などの家畜や、川や海の魚の体内にも放射性物質が入っている。

ぼくたちが、放射性物質の混ざった水、野菜、肉、魚などを口にすれば、放射性物質の一部は体の中に入る。4.2節（特に図4.3の周辺）で見たように、体内に入った放射性物質は、排出されるまでのあいだに放射線を出すので、ぼく

[*1] キノコは一般の植物よりもずっと多くのセシウムを蓄積する。5.3節でも触れたが、野生のキノコには注意が必要だ。

らは内部被曝する。

図6.1は、チェルノブイリの事故のあとのドイツで、一人の人物の体内のセシウム137の総量を1ヶ月ごとに測定した記録である。事故の当初に高い値が出たのは不思議ではないが、そのあと、事故から30ヶ月あるいは40ヶ月ほど経ったところで、セシウム137の量が急に多くなっている！ 別に、チェルノブイリや他の原子力発電所で新たな事故がおきたわけではない。この不可思議な現象の「種明かし」は図の説明に書いてあるので、それを読む前に自分で考えてみるのもいいだろう。これは、ぼくたちの体内の放射性物質の量が食生活によって大きく変わることを示す好例だ。

今の日本で、すぐに健康被害が出るような重い内部被曝をすることはない。ただ、長期的な健康被害が出る可能性がないとは言い切れないので、避けられる内部被曝を避ける努力は必要だ。

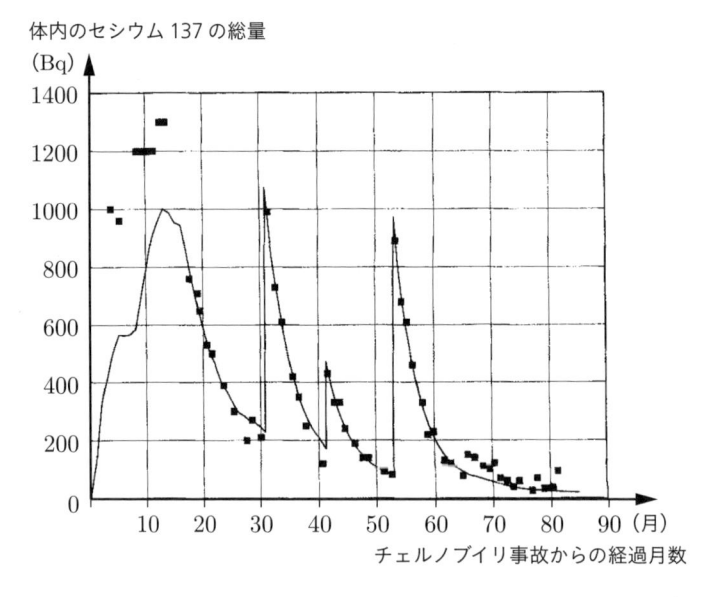

図6.1 ミュンヘン在住の50代の男性の体内のセシウム137の総量を、チェルノブイリ原子力発電所事故の直後からホール・ボディー・カウンターで測定したデータ。事故から30ヶ月以上が経ったところで急にピークが出現したのは、この人が無類のキノコ好きで、森で採取してきた野生のキノコを食べていたから。その後も、秋になると、この人の体内のセシウムの量は跳ね上がっている（40ヶ月過ぎのピークが小さいのは、この年はキノコを食べるのを控えたからだろう）。なお、この人は秋に1000 Bq程度のセシウム137を摂取しているだけなので、内部被曝の実効線量は小さい（50ページの例を見よ）。出版社と著者から許諾を得て、W. Rühm, K. König, A. Bayer, Health Physics **77**, 373–382 (1999) より転載。

食品区分	放射性セシウムの基準値 (Bq/kg)
飲料水	10
乳児用食品	50
牛乳	50
一般食品	100

表 6.1　2012 年 4 月から使われている「食品中の放射性物質に係わる規格基準」。食品 1 kg に含まれる放射性セシウムの量（単位は Bq）の上限を表わしている。

■ **食品中の放射性セシウムについての基準**　厚生労働省は 2012 年 4 月から、表 6.1 のような、食品中の放射性物質についての新しい基準を採用した。食品を 4 つの範疇に分類し、1 kg 中の放射性セシウム（セシウム 134 とセシウム 137）の（ベクレルで表わした）量の上限を決めたのだ。

この基準では放射性セシウムの量だけを定めている。確かに、他の放射性物質も放出されて食品に混ざってはいるのだが、実態を調べてみると、セシウム以外の放射性物質の量は（ありがたいことに！）かなり少ないようだ。実質的には、セシウムのことだけを心配していればいいようである[*2]。

ここでも、もっとも影響の大きい放射性セシウムについてだけ考え、他の放射性物質による内部被曝の影響は扱わないことにする。

自分や家族がどのような食品を一日に何 kg 食べるのかを調べ、表 6.1 と照らしあわせれば、（基準が満たされているとして）最大限でどれだけの放射性セシウムを摂る可能性があるかを見積もることができる。

例：ある成人は、1 日に水を 1 リットル（つまり 1 kg）飲み、一般食品を 1.9 kg 食べるとする。一日あたりの最大の放射性セシウムの摂取量は、

$$10\,\mathrm{Bq/kg} \times 1\,\mathrm{kg} + 100\,\mathrm{Bq/kg} \times 1.9\,\mathrm{kg} = 200\,\mathrm{Bq}$$

[*2]　さらに言えば、この基準は、**もっとも測定しやすい放射性セシウムによって他の放射性物質を代表させよう**という考えに基づいている。セシウムの量をもとにして他の放射性物質の量も推定し、すべての放射性物質からの内部被曝の寄与を考慮する工夫をして基準を作っている。

ということになる*3。

続く2つの節では、この「1日に200ベクレル」という摂取量が、健康影響を考えたとき「多い」のか「少ない」のか、また、仮に「多すぎる」としたらどの程度の摂取量ならば「少ない」と思うべきなのかという問題を考えていこう。特に、実効線量を用いる方法と、体内のカリウムとセシウムを比較する方法の二つを紹介する。

なお、少なくともこれを書いている2012年の時点で、「1日に200ベクレル」も放射性セシウムを摂る人はおそらく日本にいないということも強調しておこう。様々な対策が功を奏したため、2011年暮れの調査では、福島でもっとも多い家庭でも、一日の放射性セシウムの摂取量は20ベクレルにも達しなかった。6.4節を見よ。

6.2 実効線量を用いる内部被曝の見積もり

放射性セシウムによる内部被曝について考える際には、実効線量を用いるのが一つの標準的なやり方だ。内部被曝の実効線量については、4.2節でかなり詳しく説明した。簡単に復習すれば、**放射性セシウムを摂取したことによって生じうる健康への複雑な影響を、実効線量という一つの数で表わし、外部被曝とも比較できるようにしよう**という考えである。

内部被曝の実効線量は、ICRP（国際放射線防護委員会）が公表している換算法（49ページの表4.1を見よ）に従って計算できる。それを今の放射性セシウムの場合にあてはめた結果が表6.2だ*4。ここでは、放射性セシウムを1日に平均1ベクレルずつ、ずっと摂り続けたとき、年間でどれだけの内部被曝があるかを（ミリシーベルトではなく）マイクロシーベルトの単位で表わした*5。1日の摂取量と年間の被曝量は比例すると考えていいので、たとえば1日に10

---

*3 単位も含めた計算式を書いたが、数字のところだけを取り出せば、$(10 \times 1) + (100 \times 1.9) = 200$ という計算。
*4 2012年を想定して、セシウム137とセシウム134の（ベクレルで表わした）比を6対4とした（付録B.4を参照）。これは以下の計算についても同様。

年齢	3ヶ月	1歳	5歳	10歳	15歳	成人
年間の実効線量（μSv）	8.4	5.0	4.0	4.2	5.6	5.6

表 6.2 毎日 1 Bq の放射性セシウムを摂取し続けた際の年間の被曝量（実効線量）。ICRP の実効線量係数をもとに計算した。子供の年齢が表にない場合は、近い年齢の値を用いればよい。また、1 日の摂取量と年間の被曝量は比例する。

ベクレル摂取するなら表の線量を 10 倍すればいい。絶対に正確な数値と思うべきではないが、動態モデルに基づいた、それなりに信頼できる「目安」である（詳しくは 4.2 節を見よ）。

さっそく具体例にあてはめて被曝量を求めてみよう。

例 1：先ほどの「1 日に 200 ベクレルのセシウムを摂取する」成人を考える。計算は表 6.2 の数値を 200 倍するだけだから、年間の内部被曝の実効線量は 5.6 μSv × 200 = 1120 μSv である。4.2 節で説明したように「μSv で表わしたときの数値を 1000 で割ると、mSv で表わしたときの数値になる」ので、これは 1.12 mSv、つまり、内部被曝の年間の実効線量は約 1 ミリシーベルトということだ。

例 2：5 歳児が 1 日に平均で 10 ベクレルの放射性セシウムを摂るとしよう（これも、2012 年の日本ではほとんどないくらいに高い）。表 6.2 の数値を 10 倍すればいいので、年間の実効線量は 4.0 μSv × 10 = 40 μSv である。あえてミリシーベルトに直せば、0.04 mSv になる。

6.3 セシウムの平衡量とカリウムの量の比較

放射性セシウムによる内部被曝については別の視点から考えることもできる。

---

*5 この計算のもとになるのは ICRP の換算表（表 4.1）で求めた預託実効線量だ。ただし、47 ページでも注意したように、「預託」という言葉について深く考えすぎないほうがいい。この表の数値に関しても「1 年間、セシウムを摂り続けると、これだけ被曝する」と考えれば、それで十分に正確である。2 年目以降についても同じ（1 年目に摂取した放射性セシウムが 2 年目以降にも残っている効果は既に取り入れてある）。

自然界にずっと昔からあるカリウム 40 による内部被曝と比較するというやり方だ。

　人の体内では、カリウムとセシウムは（安定な元素か放射性同位元素かには関係なく）大ざっぱには同じように分布すると考えられている[*6]。また、放射性カリウムの出す放射線と放射性セシウムの出す放射線はかなりよく似ている[*7]。そこで、体内にある放射性カリウムと放射性セシウムの量を比較することで、セシウムによる余分な被曝が「どれくらい大きいか」の目安にできる。「セシウムがカリウムの△倍程度だから平気だろう」とか「セシウムをカリウムの○倍以内には抑えたいから食生活を工夫しよう」という風に考えようというわけだ[*8]。

　ただし、どうやって比較すればいいかは当たり前ではないので、順を追って説明する。

■ **放射性カリウムについて**　カリウム（元素記号は K）は原子番号 19 の原子で、安定な原子核はカリウム 39 とカリウム 41 の 2 種類。自然界にあるカリウムのほとんどはこの 2 つの安定な核種で、そこに 1 万分の 1 くらい、不安定なカリウム 40 が混ざっている。カリウム 40 は不安定といっても、半減期はなんと 12 億 8 千万年もある。ほとんど崩壊しないということだ。

　カリウムはわれわれ生き物が生きていくために絶対に必要な元素だ。神経の情報伝達など、いろいろなところでカリウムイオンが活躍している。われわれの体の中には、体重のおおよそ 0.2 パーセントのカリウムがあるとされる。そして、このカリウムの量はだいたい一定になるように調整されている。

　体内のカリウムの量がほぼ一定で、自然界のカリウムのうちの約 1 万分の 1

[*6]　ブラジルのゴイアニアというところで何人かの人が放射性セシウムを大量に摂取してしまう事故があったとき、事故にあった人たちの体内での放射性セシウムの（大まかな）動きが調べられた。また、チェルノブイリの事故の際に放射性セシウムを摂ったトナカイの解剖なども行なわれている。これらの（あるいは他の動物実験などの）データは、セシウムの体内での動きは大ざっぱにはカリウムの動きに似ていることを示している。ただし、48 ページの脚注 *14 で述べたように、体内での放射性セシウムのふるまいが完璧に理解されているというわけではない。
[*7]　詳しくは、ぼくの解説「食品中のセシウムによる内部被ばくについて考えるために」をご覧ください。http://www.gakushuin.ac.jp/~881791/housha/details/CsInBody.html
[*8]　また、この視点に立てば実効線量係数を使う必要がない。ICRP の実効線量の計算法に疑問を感じている人も、この考え方なら安心して使えるのではないだろうか？

が放射性のカリウム 40 だということは、**ぼくたちの体の中にはいつでもほぼ一定の量のカリウム 40 がある**ということを意味する。実際、人の体内には体重 1 kg あたり約 60 Bq のカリウム 40 があるとされている。そして、ぼくらは、カリウム 40 が体の中で出す放射線を受けて、つねに内部被曝しているのだ（52 ページの表 4.3 を見よ）。これは、生命がこの地球に誕生して以来ずっと続いていることなのである。

■**体に入ったセシウムはどうなるか**　セシウム（Cs）とカリウム（K）の化学的な性質はよく似ている[*9]。ただし、カリウムと違ってセシウムは生命活動に使われないので、普通は体内にはほとんどない。食べ物や飲み物といっしょにセシウムを摂ると、胃腸でほとんど吸収され、血液に溶けて全身にくまなく運ばれるとされている[*10]。それから少し時間をかけて尿といっしょに体外に排出される。これは、放射性のセシウムについても、安定なセシウムについても同じだ。

カリウムは体内にたっぷりと存在し、濃度はほぼ一定だということを上で説明した。セシウムの場合、濃度はきわめて低いし、一定しているわけでもない。**体内にあるセシウムの量は、どれくらいセシウムを摂取するかに大きく左右されるのだ**（図 6.1 の「キノコ好きおじさん」のデータが好例）。

もともと体内に放射性セシウムがまったくなかった（あるいは、ほとんどなかった）人が、毎日ほぼ一定の割合で放射性セシウムを摂取することを考えよう（図 6.2）。体内のセシウムの量は徐々に増えていくが、いくらでも増え続けるということはない。セシウムは口から入ってくるだけでなく、尿などからも排泄されるので、そのうち、入る量と出る量がバランスするようになる。そうなると、**体内の放射性セシウムの量はほぼ一定値に落ち着く**。この「バランスした一定値」のことを、この本では放射性セシウムの**平衡量**と呼ぶことにしよう。

このことをより詳しく見るため、図 6.3 に、5 歳児の体内の放射性セシウム

[*9]　**理系読者向けの注意**：周期表を「縦に」覚えている人は、水素 H の下に、H, Li, Na, K, Rb, Cs, Fr と続いていることを思い出そう。周期表で縦に並んでいる元素の化学的性質は似ているのだ。
[*10]　**理系読者向けの注意**：5.1 節の脚注 *1（81 ページ）でも述べたように、セシウムは 1 価のイオンになって水によく溶ける。

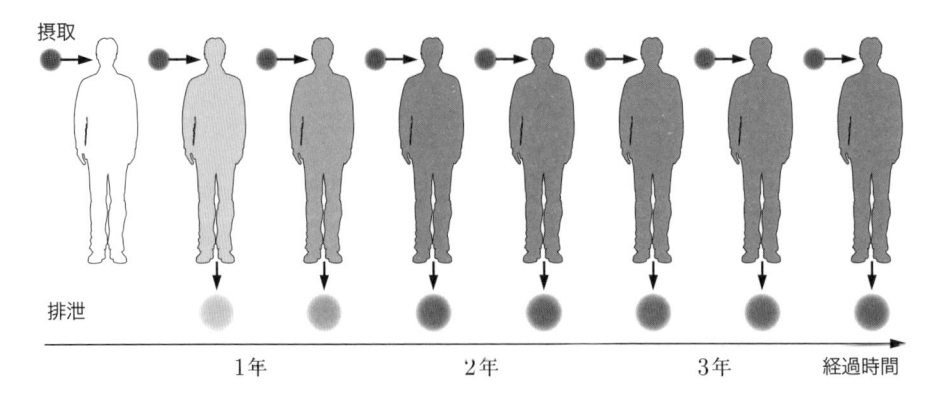

106 | 第6章　放射性セシウムによる食品の汚染

図 6.2　成人が放射性セシウムを一定のペースで摂り続けたときの体内の放射性セシウムの量の変化。当初、濃度はどんどん増えていくが、2年ほどで摂る量と排泄される量がバランスし体内の放射性セシウムの量は「平衡量」に落ち着く。

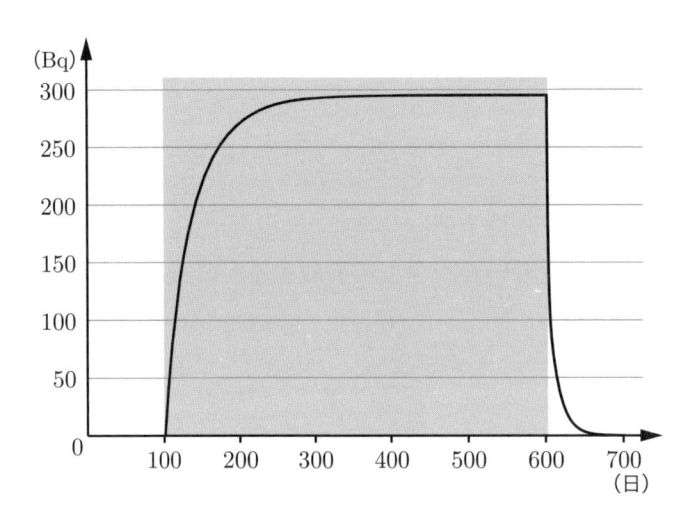

図 6.3　5歳児が、100日目から600日目のあいだ（灰色の領域）1日に10 Bqの放射性セシウムを摂取し続けたと想定し、ICRPの動態モデルを用いて体内のセシウムの総量を計算した。

の総量の時間変化を示した。実測ではなく、ICRPの使っているモデルによって計算した理論的なグラフである。ここでは、この子供が100日目から600日目のあいだ（グラフでは灰色で示した領域）、1日に10 Bqずつの放射性セシウムをずっと摂り続け、その後、放射性セシウムの摂取をやめたということを想定している。

　体内の放射性セシウムの量は、当初はどんどんと増加するが、一定値（この場合は約300 Bq）に達したところで変化しなくなる。この一定値が、この場合の平衡量だ。また、セシウムの摂取をやめると、体内のセシウムの量はどんどんと減りゼロに近づいていく。

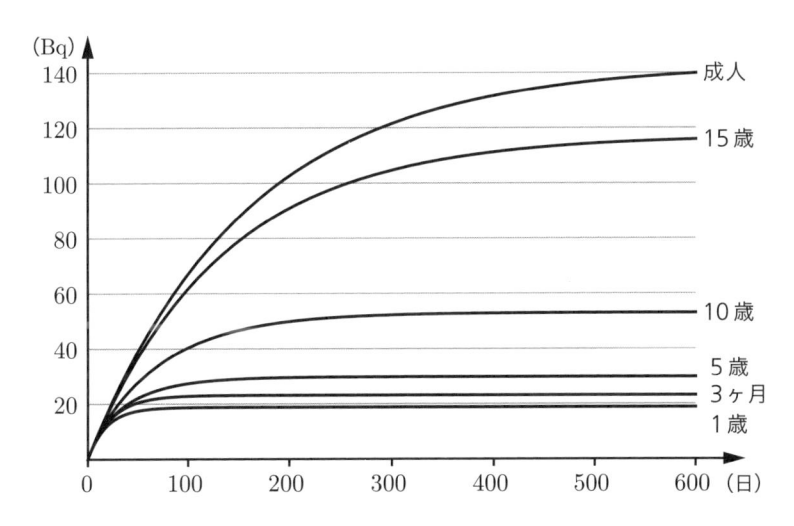

図 6.4 成人、15 歳、10 歳、5 歳、1 歳、3ヶ月の人が、1 日に 1 Bq ずつの放射性セシウムを摂取し続けた場合の体内の放射性セシウムの量の時間変化。ICRP の動態モデルを用いて計算した。1 日の摂取量が異なるときには、縦軸の目盛りを読み替えてやればいい。たとえば、1 日に 20 Bq 摂取するなら、（横軸はそのままで）縦軸の目盛りを 20 倍する。

　体内の放射性セシウムの量の変化の仕方にはもちろん個人差があり、体重や年齢・性別によって異なる。図 6.4 は、様々な年齢の人が 1 日に 1 Bq ずつ放射性セシウムを摂取し続けた場合の体内の放射性セシウムの量を表わしている。実際には年齢によって摂取量も大きく異なるから、セシウムの量そのものを比較することに大した意味はない。それより、子供の場合は 2, 3ヶ月ですばやく平衡量に達し、大人の場合は何年かかかってゆっくりと平衡量に達することに注意しよう。

　1 日の摂取量が異なるときには、図 6.4 のグラフの縦軸の目盛りを（摂取量に比例させて）読み替えてやればいい。たとえば、1 日に 20 Bq 摂取するなら、縦軸の目盛りを 20 倍する。横軸の目盛りはそのままなので、1 日の摂取量が異なっても、体内の放射性セシウムの量が平衡量に達するまでの時間は変わらないことになる。

■ **セシウムの平衡量**　十分に長い期間にわたって（子供なら、2, 3ヶ月のあいだ）日常的に放射性セシウムを摂取し続けている場合には、内部被曝の大きさを決めているのはセシウムの平衡量だと考えていい。そして、**放射性カリウムと放射性セシウムを比較するには、体内に存在する量（つまり、一定のカリウ**

年齢	3ヶ月	1歳	5歳	10歳	15歳	成人
平衡量（Bq）	23	19	30	53	117	143

表6.3 毎日1 Bqの放射性セシウムを摂取し続けた際の体内の放射性セシウムの平衡量。ICRPの動態モデルに基づいて計算した。

ムの量と、セシウムの平衡量）を比べるのが見通しがよい。たとえば摂取量を比較しても、2つの物質の動態（吸収から排出への流れ）が異なっているので、単純な対比ができないからだ。さらに、放射線による影響を知りたいのだから、（2.3節で説明したように）放射性カリウムと放射性セシウムの量は**ベクレルで表わして比較**する[*11]。

表 6.3 は、**放射性セシウムを一日に平均 1 Bq ずつ摂り続けたときの、体内での放射性セシウムの平衡量**を年齢別にまとめたものである。ここでも ICRP が用いているモデルを使って計算した。このような計算はモデルの取り方にかなり依存するので、細かい数値を気にする必要はない。あくまで、大ざっぱな目安と思ってほしい。

また、**平衡量は、1日あたりに摂取する放射性セシウムの量に比例する**。たとえば、5歳児が1日に10 Bq ずつ摂取するなら、平衡量は（表の値を10倍し）30 Bq × 10 = 300 Bq となる。図 6.3 での平衡量が 300 Bq だったのと話が合っている。

これで、「体内のセシウムとカリウムの量を比較する」準備が整った。最初に考えた基準ギリギリの食品を食べている人の例で計算しよう。

例（セシウム）：成人が1日に200ベクレルの放射性セシウムをずっと摂り続けるとする。表 6.3 の値を200倍すればいいので、体内の放射性セシウムの量は 143 Bq × 200 = 28600 Bq である。大ざっぱには 3 万 Bq だ。

[*11] もちろん、カリウムとセシウムの、ベクレルで表わした量が等しくても、影響がまったく同じというわけではない。ただ、放射性カリウムからの放射線と放射性セシウムからの放射線はかなり似ているので、大ざっぱには同程度の影響を与えると考えていい。

年齢	3ヶ月	1歳	5歳	10歳	15歳	成人
1日の摂取量（Bq）	16	31	38	36	28	29

表 6.4　セシウムの平衡量がカリウムの一定量とほぼ等しくなる、1日あたりの放射性セシウムの摂取量。ICRP の動態モデルに基づいて計算した。

例（カリウム）：この人の体重が 70 kg だとする[*12]。放射性カリウムの「一定量」は体重 1 kg あたり 60 ベクレルだったから、この人の体内にある放射性カリウムの総量は 60 Bq × 70 = 4200 Bq である。大ざっぱには 4 千 Bq だ。

結局、この人の体の中では、新たに入ってきた放射性セシウムが、もともとある放射性カリウムよりもかなり多い。**厚生労働省の基準ギリギリの食生活をして、年間 1 mSv の内部被曝を目指した場合、体内での放射性セシウムの平衡量は、放射性カリウムの量よりも数倍多くなる**ということだ。

「体内にもともとある放射性カリウムの量と、放射性セシウムの平衡量が（ベクレルで表わして）だいたい等しくなる」という状況は、セシウムによる内部被曝について考える際の一つの目安になるだろう。ICRP が想定した年齢ごとの体重を使って、そのようなセシウムの摂取量を求めたものを表 6.4 にまとめた。

細かい数値にはほとんど意味がないので、ごく大ざっぱに、**1 日平均で 30 Bq 程度の放射性セシウムを摂り続けると、体内の放射性セシウムの量と放射性カリウムの量が（ベクレルで表わして）だいたい同じになる**と理解していれば十分だ。

6.4　セシウムの内部被曝についてどう考えるか

以上の考察をふまえて、放射性セシウムによる内部被曝が「多い」か「少ない」かを一人一人がどうやって判断すればいいかを考えよう。単に「内部被曝は怖い」とか「内部被曝はゼロを目指す」と言っていても話が進まないので、い

[*12] ちょっと重すぎる気がするけど、ICRP の標準値に合わせた。

くつかの目安に従って、数値をもとに考えるのがいいと思う*13。

■ **実効線量を目安にする**　6.2 節の方針に従って、内部被曝の影響を年間の実効線量（つまり、ミリシーベルト）に換算してしまえば、被曝が「多いのか、少ないのか」について簡単に考えることができる。これは、ICRP の考え方を大筋で認めようという方針だ。

まず、問題にしている人が、そもそも外部被曝で年間どれくらい余分な被曝をしているかを知ろう。その外部被曝の実効線量と、ここで求めた内部被曝の実効線量を足したものが、その人の年間の余分な被曝量だ。

あとは、4.5 節で解説した、ICRP の「公式の考え」である「（自然被曝以外に）生涯で通算 100 ミリシーベルトを被曝すると癌で死亡するリスク（確率）が 0.5 パーセント上乗せされる」という目安を使って、自分の被曝線量が多いか少ないかを判断することになる。

なお、この際に、たとえシーベルトで測った被曝線量が同じでも、子供のほうが大人よりも大きなダメージを受ける可能性があることは忘れてはいけない*14。4.7 節を見よ。

■ **セシウムとカリウムの比を目安にする**　ICRP の内部被曝の評価法をそのまま受け入れられないという人は、6.3 節に説明した「体内にもともとある放射性カリウムと、事故の後で新たに入ってきた放射性セシウムの量を比較する」という考え方を使うのがいい。表 6.4 にまとめたように、1 日の放射性セシウムの摂取量が 30 Bq なら、体内のカリウムとセシウムの量はだいたい等しくなる。

あとは、どこまで内部被曝が増えるのを許すかで、これは個人の考え方だろう。

もともとある物が数倍に増えても気にしないというのなら、けっきょく 1 日に 200 Bq 程度の放射性セシウムを摂っていいことになり、最初の厚生労働省の基準に戻る。もともとある物と同じくらいなら許そうという人は、放射性セ

---

*13　もちろん「政府ががんばって規制してくれているから自分は気にしない」という立場もあっていい。

*14　表 6.2 で 5 歳児の実効線量が小さいのは、5 歳児はセシウムの排出が速いため被曝する線量が少ないからだ。別に 5 歳児が放射線に強いことを意味しているのではない。

シウムの摂取を 1 日 30 Bq に抑えることを目指せばいい。

■**内部被曝の現状**　6.1 節でも簡単に触れたように、今のところ、日本での内部被曝はうまくコントロールされているように見える。2012 年冒頭の新聞報道[*15]によれば、2011 年 12 月に、福島県の 26 家族の食事を調査したところ、もっとも多い家族で 1 日の 1 人の放射性セシウムの摂取量は 17.3 ベクレルだったという。また、26 家族での中央値は 4.01 ベクレルと伝えられている。

　すぐ上で見たように、1 日に 17 ベクレルの放射性セシウムを摂り続けても、体内での放射性セシウムの量は放射性カリウムの量の半分強にしかならない。これはよいニュースだと思う[*16]。

　ただ、食事の内容のバラツキはきわめて大きいはずだから、数十家族について 1 回の測定というのは、（もちろん、貴重な調査だが）全体の状況を把握するためにはあまりに貧弱である。チェルノブイリの事故のあとの調査でも、内部被曝の量は家庭によって大きく異なることがわかった。特に、普通の人とは違う食生活をしている人の内部被曝が極端に高くなる可能性があるので、もっと徹底した調査が必要である。

　より直接的で大規模な調査として、福島などで多くの人の体内の放射性セシウムの量が実測されている。ホール・ボディー・カウンター（WBC）という装置を使って、体から出てくる放射線を精密に測り、体内にある放射性セシウムの量を逆算するのだ。

　図 6.5 に、2011 年後半に南相馬市で実施された市民内部被曝検診の結果を示した。横軸の単位は Bq/kg だが、これは、体重 1 kg あたり何ベクレルの放射性セシウムがあるかを示している。縦軸は対応する人数だ。

　この結果を見て最初に注目するのは、体内の放射性カリウムの量である 60 Bq/kg（6.3 節を参照）に比べると、放射性セシウムの量が圧倒的に少ないことだ。60 Bq/kg はグラフの軸の目盛りをはみ出してしまったところにあるか

[*15]　朝日新聞、2012 年 1 月 21 日朝刊。
[*16]　一方で、関東の 16 家族の最大が 10.3 ベクレルで、福島とさほど変わらないのは、気になる情報だ。

ら、おそらく、放射性セシウムの量が 60 Bq/kg を超えた人は一人もいなかったのだろう[*17]。

この調査結果を、核爆発実験からの放射性セシウムで世界中が汚染されてしまった 1960 年代の状況（5.1 節を参照）とも比較してみよう。当時の調査結果によると、日本の成人の体内の放射性セシウムの量は 1964 年に最大となり約 560 ベクレルもあった[*18]。これは体重 1 kg あたりに直せば、約 10 Bq/kg に相当する。図 6.5 を見れば、大半の人の体内の放射線セシウムの量は、この 10 Bq/kg よりも少ないことがわかる。これも、きわめてうれしいニュースだ。

ただし、放射性物質との長い長い「闘い」はまだ始まったばかりであること、さらに、このような状況は容易に得られたものではなく、数多くの関係者（中でも生産者）のすさまじい努力の成果なのだということを忘れてはいけない。この点については、すぐ後の 7.1 節でも議論する。

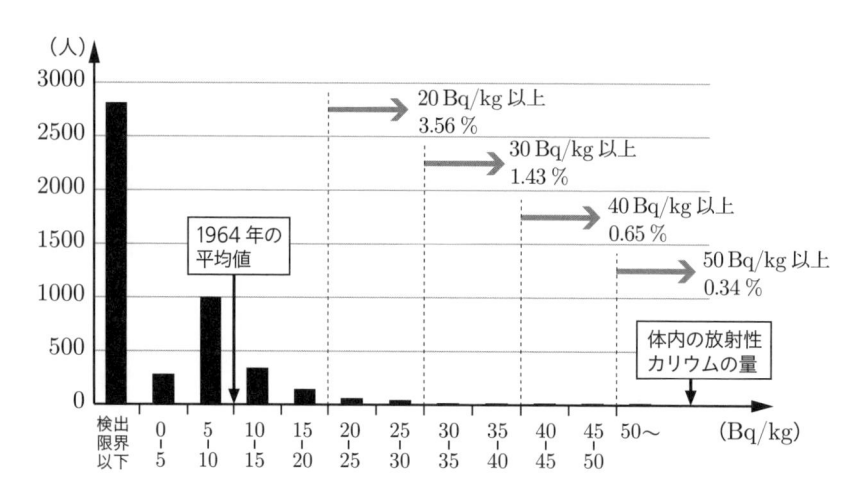

図 6.5 南相馬市で 2011 年 9 月から 12 月に行なわれた市民の内部被曝検診の結果。横軸は体内の体重 1 kg あたりの放射性セシウムの量で、縦軸は対応する人数。ほとんどの人の体内の放射性セシウムの量は 1964 年の平均値よりも低い。また、（おそらく）全員について、放射性セシウムの量は、体内にもともとある放射性カリウムの量よりも少ない。南相馬市立総合病院作成のグラフ「南相馬市立総合病院で計測したセシウム 137 体内放射能量別被験者数 9/26〜12/27 施行（n = 4745）高校生以上対象」をもとに、注釈を書き込んで作図した。
http://www.city.minamisoma.lg.jp/shinsai2/kensa/hibakukenshinkeka.jsp

---

[*17] この結果から求めた内部被曝の実効線量は、同じ地域での外部被曝の線量に比べるとずっと小さい。つまり、この地域では（少なくとも今は）外部被曝が主な被曝の原因になっている。
[*18] 内山正史、放射線科学 **34**, 169 (1991)

第7章
さいごに

最後の章になった。気の利いた結びの言葉を書ければかっこいいのだろうが、放射線との長い長い付き合い（あるいは「闘い」）は始まったばかりだと思うと、そんなことはできない。ぼくなりに、いま思っていることをいくつか書いて、本の結びとしようと思う[*1]。

7.1 被曝による健康被害はどうなるのか

ぼくは医学の専門家ではないし、ましてや予言者でもないから[*2]、これからどんな健康被害が出るのか・出ないのかについて、しっかりした意見を言うことはできない。それでも、2011 年 3 月以来、多くの資料や文献を読み、多くの専門家の意見を聞き、多くの人々と議論した結果、だいたいの見通しはついてきたような気がする。その範囲で、ぼくに書けることを書いていこう。

■**人がバタバタと倒れることはない**　まず、かなりの自信を持って言えることは、**放射線の被害によって人がバタバタと倒れるようなことはない**ということだ。

原子力発電所事故はきわめてひどいものだったし、政府や東京電力の対応も（特に初期のあいだは）まったく不適切だった。それでも、多くの人々が必死の努力をした結果、本当に重大な被曝をした人はいなかったようだ。被曝の健康影響についての過去の経験と照らし合わせても、今の日本で、被曝のために多くの人がすぐに命を落とすようなことはないと言っていいはずだ[*3]。

[*1] もちろん、誰かが既にどこかで言ったり書いたりしたようなことばかりです。ぼくの「オリジナルな思い」なんかではありません。
[*2] それに予言者なんてものがいるとは思っていないし。

■ **健康を害する人が目に見えて増えることもない（だろう）** さらに、ぼくの個人的な見解を言えば、これから先、放射線被曝のために**健康を害する人が目に見えて増えるということもないだろう**と思っている。

そう思う理由の一つは、4.1 節でも紹介した、2011 年 3 月末の福島でのヨウ素 131 による甲状腺被曝量のスクリーニング検査の結果だ。これは決して精密な検査ではないが、それでも、チェルノブイリの子供たちが受けたような大量の被曝は、今回の福島ではおきなかったことは、（かなり）はっきりした。ともかく、チェルノブイリよりは、ずっとよかったのだ。

もう一つの理由は、6.4 節で見た、南相馬市での内部被曝についての検診の結果（と、それに類する他の調査結果）だ。今のところ、ICRP の実効線量の立場から見て心配がないのはもちろん、より厳しく、体内のカリウムの量と比較しても、あるいは、さらに厳しく、1960 年代の被曝量と比較しても、やはり心配がない結果が出ている。

こういった調査結果、あるいは、地面や食品の汚染の状況を見るかぎり、日本の人々の健康が目に見えて悪化することはないと判断できそうだ、というのがぼくの個人的見解である。

ただし、これで安心してしまっていいとは思っていない。

まず、一つ目のチェルノブイリとの比較について、少し書いておこう。

チェルノブイリでの健康被害については未だに延々と論争が続いており、本当に何がおきたのかは誰にもわかっていない。子供の甲状腺癌が増えたことだけはすべての専門家が認めているけれど[4]、それ以外の健康被害については、人によって、文献によって、主張していることがまったく違っている[5]。だから、

---

[3] ただし、原子力発電所事故のために、避難したり、混乱に巻き込まれたりして、放射線被曝とは無関係に健康を害し、あるいは、亡くなった人たちは確実にいる。そういう人たちも、原子力発電所事故の直接の犠牲者である。

[4] といっても、当初は認めない専門家も多かったらしい。

[5] たとえば、ウクライナの国の公式レポート（以下の URL から英訳を入手可能）では、小児甲状腺癌以外に大人や若者の疾患を含む幅広い健康被害があったことが報告されている。これは、原則として、小児甲状腺癌以外の健康被害の有無ははっきりしないとする WHO（世界保健機関）などの公式見解とは、大きく異なっている。http://www.mns.gov.ua/files/2011/6/10/25_let_angl.rar

単に「チェルノブイリよりもまし」というだけでは、日本で何かがおきないことの保証にはならない。

さらに言えば、2011年3月のスクリーニング検査以外に、初期のヨウ素131などによる被曝の影響の公式の調査が実施されていないことは重大な問題だ。ヨウ素131の半減期は8日だから、事故から時間が経てば、被曝の痕跡は完全に消えてしまう。早い時期に、より本格的で大規模な検査をしなかったため、被曝の本当の実態をつかめないままで終わってしまったのだ。同じ日本で暮らす者として、無念としか言いようがない[*6]。

スクリーニング検査の結果を「安心材料」として受け入れつつ、万が一に備えて、徹底した検査を行なっていくのが最良の道だと思う。もちろん、物理学者ごときが言うまでもなく、現地のお医者さんたちが既に全力で取り組みを始めている。応援し続けたい。

二つ目の「安心材料」である内部被曝の状況についても少しコメントしておく。

まず、どうしても（再度）強調したいのは、放射性セシウムによる内部被曝を（少なくとも今のところ）ここまで抑え込むことができたのは、数多くの関係者の必死の努力のお陰だということだ。特に、多くの生産者は、ぼくたち部外者には想像もできない苦しい思いを抱きながら、放射性物質を流通させない対策に協力したのだと思う[*7]。心から敬意と感謝を表したい。

その上で、放射性物質や放射線との闘いは、まだまだ始まったばかりだということを言いたい。これは、何年も何十年も続く長期戦だ。もちろん、もっとも放射性物質が多く、闘いが厳しいのは、初期の1, 2年間だろう。年月が経って、人々の経験も増え、検査体制や対応策も整ってくれば、ことを進めるのはずっと楽になっていくだろう。それでも決して油断はできないと思う。汚染の重い地域では、これから長いあいだ、外部被曝・内部被曝・汚染の状況を淡々

[*6] 後から入手できた様々なデータを解析・総合して、初期の被曝の状況を少しでも知ろうという試みが進められていると聞く。解析の結果や方法（さらに、できれば、元のデータ）がしっかりと公表されることを強く望む。

[*7] 絶望のあまり自ら命を絶った方もいると聞いている。ぼくたち日本に暮らす者が決して忘れてはいけないこと（の一つ）だと思う。

と測定していくしかないし、全国的にも食品中の放射性物質の管理はずっと続けなくてはいけない。

■ **議論は続くだろう**　ぼく自身は「目に見えて健康を害する人が増えることはない」と考えているわけだが、それでも、「調査した結果、健康被害が見つかった」という見解を唱える人が現われるのは確実だと思っている。もちろん、既にいろいろなことを言っている人がいるのは知っているが、より綿密な調査と学術的な解析にもとづいて、「よく調べてみると、健康被害が増えている」と主張をする人が出てくるだろうということだ。

　これは避けがたいことだろうし、（万が一、本当に被害が出た場合のことを考えれば）必要なことだとも思う。ただ、研究者が必要以上に危険を強調したり、マスコミがセンセーショナルに報道したりといった「行きすぎ」だけは是非とも避けてほしいと今から願っている*8。

　関連することとして、これから先、福島で癌と診断される人の数が増えていくだろうと（多くの人と同様）ぼくは考えている。これは、放射線の被害で癌が増えるからではない。おそらく癌はほとんど増えないが、多くの人が定期的に癌の診断を受けるようになり、早期発見が進み、見かけ上の癌の患者が増えるということだ。その結果として、初期の段階で治療する人が増えて、最終的には癌による死亡率は減っていく可能性が高いと思う。

　事故の何ヶ月か後、まだまだ世間がひどく混乱していた時期に、ある福島のお医者さんが語った「こうなった以上、福島が日本一の健康で長寿の県になるとうれしい。いや、絶対に、そうしてみせる！」という言葉を、ぼくは忘れない。

7.2　これからどう考えていけばいいのか

　放射性物質による汚染について、放射線被曝による健康への影響について、日本で暮らすぼくたちは、これからどう考えていけばいいのだろうか？

---

*8　逆に、安全を主張する側が、さしたる根拠もなく権威主義的に「安全だ、害はない」と強弁するのも禁物だと思う。そういった「安全側の行きすぎ」が強い反発を呼び、「危険側の行きすぎ」を助長するということも大いにありうる。

■ **簡単な答えはない**　まず、誰もが認める「正解」などはないと思う。

　もちろん、何もかもがわからないわけではない。何度も強調してきたように、低線量被曝の影響についても一定の「目安」はある。それでも、日本に暮らす人たちが最終的に何らかの悪影響を受けることがあるのか、ないのかは、完全にはわからないと思う。

　本やインターネットで人の書いた物を読んでいると（と言っても、ぼくは、人が書いた「まとめ」の類はあまり読まないのだが）、確信をもって「絶対に安全です。心配はいらない」と書いている人がいると思うと、同じくらい堂々と「絶対に危険だ。逃げろ」と叫んでいる人もいる。みんな何故こんなに確信をもって物が言えるのだろうと、ぼくなんかは不思議に思ってしまう。

　ぼくも、ちゃんと理解したい、自分でも判断できるようになりたいと思って、2011年3月以来、随分とたくさんの文献や資料や論文を読んで「勉強」してきた。その結果、放射線の影響について、かなりはっきりと理解できている部分があることがよくわかった。それと同時に、低線量のデリケートな部分になると、いろいろと不確実なことがあることも知った。今の日本が、絶望したり騒ぎ立てたりするような悲惨な状況ではないということは納得したが、かといって、「絶対に安全です！」と太鼓判を押せるほどに様々なことが解明されているわけでもないという感触もあった。要するに、いつまで経っても、ぼくは確信をもって何かを言えるようにはならなかったということだ。

　web上の解説も、そして、この本も、そういう「確信をもって物を言えない状態」のままで書いた。

　だから、これまでの研究・調査の結果、ほぼ確実にわかっていると思えることがらについては「わかっている」とちゃんと書き、そうでないことがらについては、「わからない」と正直に書いた。けっきょく、ぼくに書けるのはそういう本だけだと思うし、ひょっとすると、そういう本があるとうれしいと思ってくれる人も少しはいるかもしれない[*9]。

　考えてみれば、人類の歴史にせよ、個人の人生にせよ、すべてが「完全にわ

[*9] webページに書いた解説を好きだと言って、ぼくを応援してくださった方が予想外に多かったので、そう思うようになりました。ありがとうございます。

かって」から決断して行動するなんていうことは決してない。いつでも何かしら「わからない」ことは残る。それでも、最後は自分なりに考えた道を選んで進んでいくものだ[*10]。「放射線や放射性物質が日常の一部になってしまった日本でどう考えて生きていくのか」というのは、随分と重厚なテーマかもしれないけれど、本質は変わらないとぼくは思う。やっぱり、何が「わかって」いて、何が「わかっていない」かを知った上で、最後は自分なりに方針を決めて進んでいくしかない。この本が、ほんの少しでも、そのお手伝いになれば、ぼくとしてはものすごくうれしいです。

■ **今は普通の時ではない**　忘れてはいけないのは、ともかく、2011年3月にものすごいことがおきて、その余波はまだまだずっと続いているということだ。ぼくは、これは日本にとって戦争以来の最大の難関だと思っている。

　だからといって、やたらパニックになったり大騒ぎしたりする必要はない。でも、逆に、すべてについて冷静で沈着に普段通りにやろうとしなくてもいいんだとも思う。こんな時期なんだから、日本にいる人が皆、同じ反応をして同じように考える必要なんて、絶対にない。みんなが、それぞれに「自分らしい」反応をすればいいんだと思う。

　やたら冷静でいつも通りの人もいれば、いろいろと気にして普段とは違う対策をとる人もいる。ぼくはそれでいいと思う。こんな時なんだから、お互いのやり方を邪魔しないで、みんなそれぞれにバラエティーに富んだ生き方をすればいい。放射線との付き合いはこれからずっと続く長期戦だから、しばらくすれば、徐々に新しいバランスが見えてくるはずだ。気長にやろう。

　放射線のことがわからず、怖くて仕方がなくて心配している人はたくさんいると思う。ぼくは、それは当然だと思うし、仕方がないと思う。誰も経験したことのない事態だし、訳のわからないものを怖いと思うのは自然な心理だ。

　「あなたの怖がり方は正しくない。正しく怖がりなさい」などと言われても、

[*10] 就職を決める話とか、志望校を決める話とか、好きな人に告白する話とか、お夕飯を何にするか決める話とか、ご自分の好きなネタでいくらでも話をふくらませてください。

どうしようもない。「怖い」というのは人間の素直な感情なのだから、「正しい」とか「正しくない」とかいう物ではないはずだ*11。そもそも「正しく怖がれ」と言われて恐怖感が消えるようだったら、そんな楽な話はない。

■「気にする自由」と「気にしない自由」　ぼくは、「気になる人」たちには「気にする自由」があると信じている。恥ずかしがらず、堂々と、「気になる、心配だ」と言うべきだし、まわりの人も「気にする自由」を認めるべきだ。なにしろ、歴史に残るとんでもないことが日本でおきて、それから、ほんの少ししか時間が経ってないのだから。

　いろいろな人の体験談を聞いてみると、「気になる」と思っているのに、それを人に言えず、特に何もできないまま悶々としているのは、ものすごく精神衛生に悪いという*12。それよりも、「気になる」ならば、たとえば、自分の周辺の地域の空間線量率を（インターネットなどで）調べ、この本に書いたいくつかの「目安」と比較して自分なりに検討してみるといいと思う。あるいは、「例」の計算を自分でやってみるのもいい。自分なりに考えていれば、だんだんと物の見え方や心持ちも変わってくるんじゃないだろうか（別に「気にする」のをやめる必要はないですよ）。さらに、同じように「気になる」と思っている人と知り合って、いっしょに色々と調べたり考えたりできるようになれば、なおよいと思う。

　「気にする自由」があるのと同じように、「気にしない自由」があるということも言っておきたい。

　人生は（おそらく）1回きりだし、人には、悩むべきこと、考えるべきこと、がんばるべきことが色々とある。日本が大変なのはわかっているが、自分が気にしたからといって物事が急に改善するわけでもない。むしろ、自分が、人生の今の時期にやるべきことを全力でやろう――というのは、尊敬すべき立派な態度だと思う。

　いや、別にそんなかっこよくなくても、単に「気にならないから、気にしな

---

*11　だいたい、お化け屋敷やホラー映画が「怖い」のは、「正しい怖がり方」なのだろうか？
*12　そこでインターネットをやって、「危ない危ない」と言っている人のブログやTwitterを読むと、さらに精神衛生に悪い。

い」というのだって、ありだと思う。ご存知のように、そういう人はかなり多い。

　なんか玉虫色ではあるけれど、「気にする自由」と「気にしない自由」をお互いに認め合うのが大切だと思う。
　自分が放射線のことを「気にしない」で生きているからといって、周囲の人にも同じ生き方を要求してしまうのはよくない。今の日本では、「気にする自由」はすごく大事なのだから。
　同じように、自分が「気にして」いて不安を感じているからといって、周囲の人にもいっしょに不安を感じ、同じ対策をとってほしいと思ってはいけないだろう。「気にしない自由」も大切にしてあげなくてはいけない。
　もちろん、「気にする人」と「気にしない人」が同じ社会で暮らしていれば、意見の不一致や不便なことは出てくるに違いない。それは仕方がないことだ。なにしろ、日本は戦争以来の最大の危機に見舞われたのだから、不都合が出てくるのも無理はない。どちらか一方が（あるいは、両方が）ある程度の我慢をして譲らなくてはならないだろうが、そこは理性的に話し合って決めていくしかない。
　ぼくなんかが偉そうなことを言うのは恥ずかしいけれど、この困難な時期に何よりも大切なのは、「気にする自由」と「気にしない自由」をお互いに尊重し合いながら、最良の未来を目指していくことだと信じている。

付録A
知っていると便利なこと

A.1 エネルギーって何？

　本文では、「エネルギー」という言葉をそれほどきちんと説明せずに使った。ここで、なるべく平易に、それでも正確な説明をしてみたい。

　木の枝に実っていた林檎の実が、何かの拍子に落ちてきて、頭にあたったら、痛い。あるいは、同じ林檎の実をダルビッシュが思いっきり投げたのが頭にあたったら、たぶん痛いどころではすまない。では、林檎の実にはぼくらに「痛さ」を与える能力があるのか？　もちろん、そんなことはない。同じ林檎の実だって、そっと頭の上に乗せたら、別に痛くはない。

　言うまでもなく、ダルビッシュの投げた林檎が痛いのは、林檎が「速さ」を持って飛んでくるからだ。林檎に速さがあれば、ぼくらを「痛い」と思わせる能力、あるいは、ぼくらにダメージを与える能力を持つようになる。この「能力」が**エネルギー**（より正確には、**運動エネルギー**）だ。

　運動エネルギーは厳密に数値で表わすことができる。質量（重さ）が m の物体が速さ v で飛んでいるときの運動エネルギーは、

$$\frac{1}{2} \times m \times v^2$$

に等しいと定める。質量をキログラム（kg）、速さをメートル毎秒（m/秒）で測ったときのエネルギーの単位を、ジュール（J）という。

　物体の種類や質量が違っても、同じ 1 J の運動エネルギーを持っていれば、ぼくらに同じダメージを与える「能力」を持っていることになる[*1]。

　大きめな 340 g の林檎が、30 cm の高さから落っこちてきたときに持っている運動エネルギーがちょうど 1 J である。あるいは、1 J のエネルギーで 1 g の

水を温めると、温度が 0.2 度くらい上がる。そういう意味で、**ジュール（J）は日常的な世界でのエネルギーを表わすのに手頃な単位**なのだ。

2 章で出てきた eV（エレクトロン・ボルト）は、原子・分子などの小さな世界での出来事を表わすのに手頃なエネルギーの単位だ。もともとの定義は「電子 1 個を 1 V の電圧で加速したときの運動エネルギー」で、J との関係は、

$$1\,\text{eV} \fallingdotseq 1.6 \times 10^{-19}\,\text{J} = 0.00000000000000000016\,\text{J}$$

である（10^{-19} という書き方については、すぐ次の節で解説する）。

やたらと小さなエネルギーだけれど、持っている意味は同じ。たとえば、2.1 節で、水素分子二つと酸素分子が一つ反応するときに 5 eV のエネルギーが出てくることを見た。これは、8.0×10^{-19} J という小さな値だ。それでもこの反応がいっぱいおこれば、その合計が 1 J になるようにできる[*2]。この化学反応で出てくるエネルギーを使えば、水 1 g の温度を 0.2 度だけ上げられるということだ。

本文では使わないようにしたが、原子核の変化や放射線を議論するときには、MeV（メガ・エレクトロン・ボルト[*3]）という単位を使うのが普通だ。定義は、

$$1\,\text{MeV} = 10^6\,\text{eV} \fallingdotseq 1.6 \times 10^{-13}\,\text{J} = 0.00000000000016\,\text{J}$$

である。eV の百万倍なのだが、それでも日常的な J（ジュール）に比べるとすごく小さい。

2.2 節で、「セシウム 137 から 60 万 eV のガンマ線が出る」という話があったが、これは MeV に直せば 0.6 MeV で、たしかに「手頃」な値になる。

これは、すごく小さな世界でのすごく小さなエネルギーの出来事だけれど、基

[*1] といっても、頭にあたったときの「痛さ」は材質や形にも大きく影響されるので、この「たとえ」はあまりよくない。頭ではなくて、ショック吸収素材みたいなものにぶつけて、運動をすべて熱に変えたとすると、発生する熱量は運動エネルギーと正確に等しい。
[*2] 水素分子 2.5×10^{18} 個と酸素分子 1.25×10^{18} 個を反応させればいい。
[*3] 「メブ」と読んでしまうことが多い。

本的には、最初に見たダルビッシュの投げた林檎があたると痛い話と同じだと思っていい。セシウムからでた光子 1 個が 0.6 MeV という「ダメージを与える能力」を持っているということなのだ。だから、このガンマ線を吸収した物体の温度がどれだけ上昇するかを知りたければ、ガンマ線が何個吸収されたかを使って合計のエネルギーを求め、それをジュールに換算して発熱を計算すればいい。ただし、4.3 節で強調したように、生物が放射線を浴びると、単にエネルギーの総量から予想されるよりもずっと大きなダメージを受けてしまう。放射線の「やっかいな」ところだ。

A.2　10 のべき乗——大きい数と小さい数の表わし方

　理科系の文献や解説には、6.02×10^{23} とか 5E−2 みたいな（知らない人には）謎な数字の書き方が出てくる。「10 のべき乗[*4]」を使った数の書き方だ。
　この本ではできる限り使わないようにしたが、ちょっと進んだ解説には頻繁に登場する。知っておくと絶対に便利だし、難しいことではないので、ここで丁寧に説明しておく。「一般の大きな数、小さな数」までの 4 つの項目を理解すれば、様々な文献を読むためには十分だろう。

■ **10 のべき乗——大きな数**　たとえば、10000 つまり一万という数は、10 を 4 個かけ合わせたものだ。このことを、

$$10000 = 10 \times 10 \times 10 \times 10 = 10^4$$

と書く。10 の右肩に「かけ合わせる個数」の 4 を書いたわけだ。
　10^4 は「10 の 4 乗（じゅうのよんじょう）」と読む。右肩に乗っている数字 4 は、「べき数」、「べき」、「指数」などと呼ばれる。
　同じようにすれば、もっと大きい数も簡単に書ける。たとえば、

$$10000000 = 10 \times 10 \times 10 \times 10 \times 10 \times 10 \times 10 = 10^7$$

[*4]　漢字は、冪乗あるいは巾乗。和算の時代から使われていた用語のようだ。累乗という言い方もある。

$$100000000000 = 10 \times 10 \times 10 \times 10 \times 10 \times 10 \times 10 \times 10 \times 10 \times 10 \times 10 = 10^{11}$$

といった具合。最初の数は一千万、次は一千億だけど、慣れてくれば 10^7 とか 10^{11} とか書いたほうが便利だ。だいたい、10^{23} なんていう大きな数になると、ゼロを並べて書いても長くなりすぎるし、日本語での呼び方もよくわからなくなってくる。

もう気づいている人も多いだろうけど、10^4 を普通の書き方で書くと 1 の後に 0 が 4 個、10^{11} を普通の書き方で書くと 1 の後に 0 が 11 個という風になっている。つまり、べき（右肩の数字）は 1 の後に 0 が何個続くかを表わしているのだ。

「10 のなんとか乗」という書き方のことを「10 のべき乗」と言う。

■ **10 のゼロ乗って何だ？** まず、

$$100000 \times \frac{1}{10} = 10000$$

だということに異論はないと思う。$\frac{1}{10}$ 倍するということは 10 で割るのと同じことだから、0 の個数が一つ減ったというわけだ。

ここで、$100000 = 10^5$, $10000 = 10^4$ だったことを思い出して、この式を書き直すと、

$$10^5 \times \frac{1}{10} = 10^4$$

となる。0 の個数が一つ減ったことに対応して、「べき」が一つ小さくなっている。

同じことを続けると、

$$10^4 \times \frac{1}{10} = 10^3, \quad 10^3 \times \frac{1}{10} = 10^2, \quad 10^2 \times \frac{1}{10} = 10^1$$

という具合に、$\frac{1}{10}$ をかけるたびに「べき」が一つずつ小さくなっていく。

最後に 10^1 という変なのが出てきた。これは $100 \times \frac{1}{10}$ で、答えは 10 だ。つまり、10^1 は 10 の別の書き方ということになる。10^1 の意味は「10 を 1 個かける」ということだったから、確かに 10 だ。

同じことをそのまま続けて、「べき」をさらに小さくすると、

$$10^1 \times \frac{1}{10} = 10^0$$

となって、「10 の 0 乗」というのが出てきてしまう。「10 を 0 個かける」というのは、どういうことだろう？

左辺（式の = の左側のこと）を落ち着いて見れば、これは $10 \times \frac{1}{10}$ だから、答えは 1 だ。つまり、10^0 というのは 1 の別の表わし方だということになる。

「なんで 10 を 0 個かけたら 1 なんだろう？」と悩んでもあまり得るところはない。でも、話の流れからして、$10^0 = 1$ だと「約束する」のが自然だということに異論はないと思う。そして、この「約束」（数学では「定義」という）は実に便利なのだ[*5]。

■ **10 のべき乗——1 より小さな数**　「$\frac{1}{10}$ をかけると『べき』が一つ小さくなる」というのを、さらに続けよう。0 よりも一つ小さい数は −1（マイナス 1）だったから、

$$10^0 \times \frac{1}{10} = 10^{-1}$$

となっているのが自然だ。左辺は $\frac{1}{10}$ そのものだから、10^{-1} は $\frac{1}{10}$ だということになる。

「10 を −1 個かける」なんていうのは意味がないと思うかも知れない。確かにその通りなのだが、こうやって「概念を自然に拡張していく」ことでいろいろな数をものすごく便利に扱うことができるのだ。

この調子で、さらに $\frac{1}{10}$ をかけて「べき」を一つずつ小さくしていくと、

$$10^{-1} \times \frac{1}{10} = 10^{-2}, \quad 10^{-2} \times \frac{1}{10} = 10^{-3}, \quad 10^{-3} \times \frac{1}{10} = 10^{-4}$$

という風に、「10 のマイナスなんとか乗」がどんどん出てくる。$10^{-1} = \frac{1}{10}$ を思い出して、これらの数を普通の分数と小数で書いてみると、

$$10^{-1} = \frac{1}{10} = 0.1, \quad 10^{-2} = \frac{1}{100} = 0.01,$$

[*5] 「10 を何回かかける前には、もともと 1 があったと考えるべきだ。だから、0 回かけるときには、もともとの 1 が出てくる」という説明もそれなりにもっともらしいとは思う。

$$10^{-3} = \frac{1}{1000} = 0.001, \quad 10^{-4} = \frac{1}{10000} = 0.0001$$

となっていることがわかる。どんどんと小さな数（正の数だが、大きさの小さい数）が出てくるわけだ。

ここでも「べき」とゼロの個数には簡単な関係がある。上の式を見ると、$10^{-2} = 0.01$ の右辺には、小数点の前のゼロも含めて全部で2個のゼロが並んでいる。$10^{-6} = 0.000001$ だって、小数点の前のゼロも含めて全部で6個のゼロが並んでいる。つまり、一般に、「10のマイナスなんとか乗」という数を小数で書くと、小数点の前のゼロも含めて全部で「なんとか」個のゼロが並び、最後に1がくっつくということになる。

あと、もう一つ一般的な関係。上の式をよく見ると、

$$10^{-1} = \frac{1}{10^1} \quad 10^{-2} = \frac{1}{10^2} \quad 10^{-3} = \frac{1}{10^3} \quad 10^{-4} = \frac{1}{10^4}$$

となっているのもわかると思う。「10のマイナスなんとか乗」という数は「10のなんとか乗」の逆数になっているということだ。

■**一般の大きな数、小さな数** たとえば、4000000000という数（四十億だけど）を考える。このままだと、ゼロがいっぱい（数えると9個）並んでいて書くのも読むのも大変だ。そこで、これをまず、$4000000000 = 4 \times 1000000000$ という風にかけ算で表わす。そして、上で見た10のべき乗の書き方を使って $1000000000 = 10^9$ と書き直して、

$$4000000000 = 4 \times 10^9$$

という風に書いてやる。これが「理系風の大きい数の書き方」だ。

メールやTwitterなど（原始的なコンピューター環境）で、10^9 みたいな書き方がうまくできない場合には、4×10^9 のかわりに 4E9 とか 4e9 と書くこともある[*6]（E は指数〔exponent〕の頭文字だと思う）。何も知らずにこんな書

---

*6 あるいは、10^9 のことを 10^9 のように書く流儀もある（なんか顔文字みたいだけど）。

き方を見ても意味がわからないと思うが、ルールを知ってしまえば大したことはない。

小さい数も同じ考えでできる。たとえば、0.000003という数。小数点の前にあるのを含めて、ゼロが6個並んでいる。これも、$0.000003 = 3 \times 0.000001$ に注意して、

$$0.000003 = 3 \times 10^{-6}$$

と書く。便利でしょ？

これも、3×10^{-6} と書けないようなヘボい環境では、3E-6 とか 3e-6 とか書く。

「これでわかった」と思うだろうけど、もう一ひねり。

たとえば、128000000 という数（日本のおおよその人口）を10のべき乗を使って書いてみよう。$128000000 = 128 \times 1000000 = 128 \times 10^6$ と書いたらよいと思うかもしれないが、実は、これはそれほど便利ではないのだ。それより、$128000000 = 1.28 \times 100000000$ と書き換えて、

$$128000000 = 1.28 \times 10^8$$

と表わすのが標準的なやり方になっている（これも、1.28E8 と書くことがある）。要するに、「1以上10未満の小数」かける「10のべき乗」というのを「標準の書き方」にしようということだ。

1.28×10^8 という書き方が優れているのは、ぱっと見ただけで、この数はだいたい 10^8（つまり一億）くらいだということがわかる点だ。それに、すぐ下で説明する「有効数字」が一目でわかるという重要なメリットもある。

小さい数についても同じ。

たとえば、0.0000000345 であれば、$0.0000000345 = 3.45 \times 0.00000001$ として、

$$0.0000000345 = 3.45 \times 10^{-8}$$

と書く。これも Twitter なんかでは、3.45E-8 と書く。

　以上で、書き方の仕組みはわかったと思う。
　科学系の文献では、たとえば 1.23×10^4 のような書き方だけで数値が示されることが多い。これを普通の書き方に直したければ、$10^4 = 10000$ に注意して、$1.23 \times 10000 = 12300$ と計算すればいいことになる。あるいは、10^4 倍するということは 10 を 4 回かけることだと思い出して、

$$1.23 \to 12.3 \to 123 \to 1230 \to 12300$$

とやるのもいい。
　小さい数のほうも同様。9.8×10^{-3} なんていうのがあったら、10^{-3} をかけるということは、$\frac{1}{10}$ を 3 回かけることだから、

$$9.8 \to 0.98 \to 0.098 \to 0.0098$$

とやれば、迷いなく $9.8 \times 10^{-3} = 0.0098$ とわかるというわけだ。
　でも、慣れてくれば、多くの場合は、普通の小数の書き方に直したりせず、10 のべき乗を含んだ数値をそのまま受け入れられるようになってくるはず（そもそも、1.38×10^{-23} みたいな数をわざわざ小数に直す気はしない）。
　10 のべき乗を使った数の表わし方を知りたかった方は、ここまで読めば十分。あとは、もうちょっと進んだ話を付け加えておく。

■**有効数字**　10 のべき乗を使った書き方をすると、「有効数字」というものが自然に表現できる。これは、この書き方の強みだ。
　たとえば、「ある町の人口が 123000 人」だったとしよう。といっても、人口がピタリと正確にわかるということはあまりないので、これは、だいたいの値だとする。
　ところが、これが、どれくらい「だいたい」なのかは数字を見ただけではわからない。数百人程度の誤差のある話で、「人口は 122600 人から 123400 人のあいだくらい」ということもあるだろう。その場合には、123000 という数字の並びの中で、具体的な数字が意味を持っているのは「123」だけで、残りのゼロは単

に桁を表わしているに過ぎない。こういうときには、「人口は約 1.23×10^5 人」と書くのがいい。これによって「123 には意味がある」ことをはっきりと示そうというわけだ。

一方、実は人口調査は数人の誤差しか出ないように行なわれていて、「人口は122996 人から 123004 人のあいだにある」とわかっているのかもしれない。そういうときには、「人口は約 1.2300×10^5 人」と書く。これで、1.23×10^5 の場合と比べて、もっと多くの数字に意味があることをはっきりと示せるのだ。

このように、「意味のある数字」のことを「有効数字」と呼ぶ。

■**かけ算のルール** 最後に 10 のべき乗を使って表わした数どうしのかけ算について簡単に見ておこう。自分で本格的な計算をするためにはこの説明だけではちょっと不十分だろうが、計算の方針はわかると思う。

たとえば、10^4 と 10^3 のかけ算をしてみよう。ゼロの数に注意して、それぞれを普通の書き方に直して計算すると、

$$10^4 \times 10^3 = 10000 \times 1000 = 10000000 = 10^7$$

となる。じっと眺めると、指数の部分に $4 + 3 = 7$ という足し算が見て取れる。

10 のべき乗の数を二つかけ合わせるときには、単に、べきの部分を足してやればいいのだ。かけ算なのに足し算が出てくるのが面白いところだ。もちろん、もとに戻って、10^4 は 10 を 4 回かけたもの、10^3 は 10 を 3 回かけたものだったことを思い出せば、両者の積が 10 を 7 回かけたものになるのは当たり前のことなのだが。

一方、10^4 と 10^3 を足し算しても、

$$10^4 + 10^3 = 10000 + 1000 = 11000$$

となるだけで、特にきれいにはならない。

同じことは、10 のべきがマイナスの数のときにも成り立つ。たとえば、

$$10^{-5} \times 10^{-3} = \frac{1}{10^5} \times \frac{1}{10^3} = \frac{1 \times 1}{10^5 \times 10^3} = \frac{1}{10^8} = 10^{-8}$$

のように考えればいい。べきの部分だけ見れば、$(-5)+(-3)=-8$ という足し算ですむことがわかる。

べきが正の数と負の数のときにも大丈夫。たとえば、

$$10^6 \times 10^{-2} = 1000000 \times \frac{1}{100} = 10000 = 10^4$$
$$10^3 \times 10^{-8} = 1000 \times \frac{1}{100000000} = \frac{1}{100000} = \frac{1}{10^5} = 10^{-5}$$

といった具合だ。べきの部分だけ見れば、それぞれ、$6+(-2)=4$ および $3+(-8)=-5$ という足し算で答えが求まっていることがわかるだろう。

ちょっと数学っぽくなるが、これを一般に表わすと、

$$10^n \times 10^m = 10^{n+m}$$

となる。ここで、n, m は好き勝手な整数（$0, \pm 1, \pm 2, \ldots$ のこと）である。

これで、10 のべき乗どうしのかけ算は簡単にできることになった。一般の数どうしのかけ算の場合には、かけ算の順番は変更できることを使って、

$$(6.02 \times 10^{23}) \times (1.23 \times 10^{-2}) = (6.02 \times 1.23) \times (10^{23} \times 10^{-2}) \fallingdotseq 7.40 \times 10^{21}$$

のように計算すればいい。10 のべき乗の部分と、その前の数字の部分を別個に計算したということだ。ここで、$6.02 \times 1.23 = 7.4046$ だが、有効数字のことを考慮して 7.40 とした[*7]。

例をもう一つ。

$$(5.5 \times 10^{-2}) \times (8.2 \times 10^3) = (5.5 \times 8.2) \times (10^{-2} \times 10^3) \fallingdotseq 45 \times 10^1 = 4.5 \times 10^2$$

この場合、素直に計算した答えは 45×10^1 になるけれど、最後の答えは「標準形」になるように変形した。

[*7] こういうことは、自分で計算しない人は気にしないでいい。自分でいろいろと計算しようと思う人は、有効数字について知っておいたほうがいいだろう。

付録 B
関連する少し詳しいことがら

B.1　リスク、過剰絶対リスク、過剰相対リスク

　被曝の健康影響の議論に登場するリスク、過剰絶対リスク、過剰相対リスクという概念について、ごく簡単に（そして表面的に）説明しておく。

　リスクとは、疫学の用語で、基本的には確率とほとんど同じ意味だと思っていい。「現在 50 代前半の非喫煙者のアジア系成人男性が最終的に癌で死亡するリスク」というのは、要するに、ぼくなんかが（いずれ）癌で死ぬ確率ということだ。ただし、個人を考えてしまうと、その人はけっきょく癌で死ぬかそれ以外で死ぬかの二つに一つだから、確率ということの意味はよくわからなくなる。

　そこで、リスクを考える際には、大勢の人間の集団を用意し、

$$(\text{リスク}) = \frac{(\text{対象にしている集団の中で、問題にしている病気で死んだ人数})}{(\text{対象にしている集団全体の人数})}$$

という比を考えるのだ[*1]。「対象にしている集団」とは、「現在 50 代前半の非喫煙者のアジア系成人男性の集団」のように何らかの共通性を持った人の集まりで、人数は十分に多くとらなくてはいけない。

　さらに、たとえば被曝と癌死との関係を知りたい場合には、「被曝していない現在 50 代前半の非喫煙者のアジア系成人男性の集団」と「若い頃に 1 Sv の被曝をした現在 50 代前半の非喫煙者のアジア系成人男性の集団」を用意し[*2]、それぞれの集団での癌死亡のリスクを求めることになる。両者の相違が被曝の影

[*1]　「問題にしている病気で死んだ人数」の部分は、たとえば「1 年間のあいだに問題にしている病気にかかった人数」などとすることも多い。
[*2]　二つの集団は、被曝をしたかしていないかという点が異なるだけで、その他の条件については同様でなくてはならない。これを実現するのは、実際には、なかなか困難ことだ。

響というわけだ。もちろん、いつでもそんな風に「うってつけの集団」が用意できるわけではないのだが。

仮に、上の例で、被曝していない集団の癌死亡リスクが 25 パーセントで、被曝した集団の癌死亡リスクが 30 パーセントだったとしよう[*3]。被曝によって増えた余分なリスク（過剰リスク）を表現するのに、**過剰相対リスク**（ERR = Excess Relative Risk）を使うやり方と、**過剰絶対リスク**（EAR = Excess Absolute Risk）を使うやり方がある。

25 パーセントが 30 パーセントに増えたのだから、両者の比をとれば、30/25 = 1.2 である。被曝によって癌死亡リスクが 1.2 倍になった——つまり、20 パーセント増した。この場合の 20 パーセントが過剰相対リスクである。**過剰相対リスクは、リスクが割合としてどれだけ増えたかを表わしている。**

一方、25 パーセントが 30 パーセントに増えたということで、素直に二つの数の差をとれば、5 パーセント。これが過剰絶対リスクである。**過剰絶対リスクは、リスクがどれだけ「上乗せ」されたかを表わしている。**

疫学の文献では、過剰相対リスクと過剰絶対リスクの両方が用いられる。4.5 節で詳しく見た ICRP の「公式の考え」では、過剰絶対リスクを使っている。本文で「確率の上乗せ」と書いたのは、過剰絶対リスクのことだ。

B.2　吸収線量、等価線量、実効線量

本文では実効線量の定義を紹介しなかったが、この付録で順を追って説明する。ただし、被曝量について大ざっぱに考えるだけなら、ここにある細かい定義を知る必要は特になく[*4]、本文の説明で十分だと思う。

[*3] このような統計データを完全に得るためには、調査してきた集団のメンバーの全員が（何らかの原因で）死ぬまで待たなければならない。実際には、LSS（寿命調査）など多くの調査では対象となる人たちの多くが生きているので、統計処理は難しくなる。この本では、そういった詳細にまでは踏み込まない。

[*4] ICRP（国際放射線防護委員会）にとっては職業被曝についての基準を決めるのが重要な仕事であり、その際には、定義を細かく定めなくてはいけない。

■ **吸収線量とグレイ** まず、理想的な設定で、物理的にわかりやすい概念である吸収線量と吸収線量率を見ておこう。前者はGy（グレイ）という単位で、後者はGy/hなどの単位で測る量だ。吸収線量率は「放射線の強さ」を特徴づける量でもある。

放射線（たとえば、ガンマ線）の一様な流れの中に、同じ素材でできた物体がいくつか置かれている（図B.1）。物体の大きさや形状はまちまちだが、物体の厚み（放射線の進行

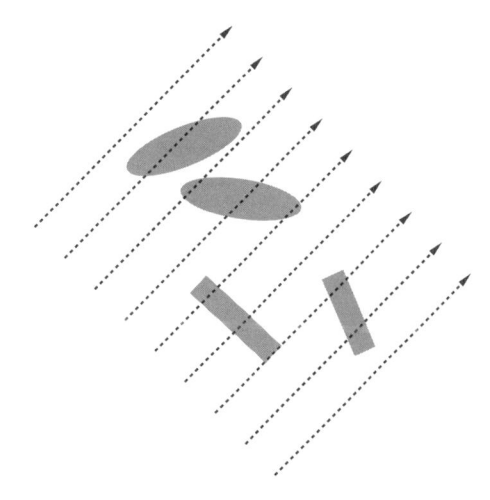

図 B.1　一様なガンマ線の流れの中に、様々な形状・サイズの物体を置いた。

方向に沿って測った長さ）はいずれも十分に小さく、放射線はほとんどスカスカと物体を通り抜けていくと仮定する。吸収線量率を「放射線の強さ」と考えるためには、この条件が必要なのである。

このような状況で、すべての物体が同じ時間だけ放射線にさらされていたとする。放射線のほとんどは物体を貫通すると仮定したが、一部は物体に吸収されてエネルギーを与える。このとき、

　　　　　物体が吸収したエネルギーの総量は、物体の質量に比例する

ことがわかっている。物体の形にも、放射線に対してどういう向きに置くかにも関係なく、ただ質量に比例するのである。

「吸収エネルギーが質量に比例する」ことは、「物体が大きいほうが吸収するチャンスが多いから」くらいに思えば、だいたい納得がいくだろう。もう少し詳しく言うと、放射線が衝突する相手（ガンマ線なら電子）の総数が物質の質量に（ほぼ）比例するのが主たる理由だ[*5]。

吸収したエネルギーが物体の質量に比例するので、

[*5] より詳しくは、本格的な解説「ベクレルからシーベルトへ」をご覧ください。http://www.gakushuin.ac.jp/~881791/housha/docs/BqToSv.pdf

134 | 付録B 関連する少し詳しいことがら

$$\text{(吸収線量)} = \frac{\text{(物体が吸収したエネルギー)}}{\text{(物体の質量)}}$$

によって定義した**吸収線量**は物体の質量にも形状にも依存しないことになる。

逆に言えば、この空間で一定の時間の放射線を浴びた際の吸収線量がわかっているなら、

$$\text{(物体が吸収したエネルギー)} = \text{(吸収線量)} \times \text{(物体の質量)}$$

によって、任意の物体が吸収するエネルギーが求められるということである。

通常、エネルギーの単位はJ（ジュール）で、質量の単位はkg（キログラム）なので、吸収線量の単位はJ/kg（ジュール毎キログラム）となる。ただし、吸収線量を考える際には、J/kgのことをGy（グレイ）と書くことになっている。

空間のある場所で、一定の強さの放射線が持続している。薄い物体がこの放射線をずっと浴びていれば、吸収線量は時間に比例して大きくなっていく。この比例係数が「放射線の強さ」を表わしていると考えていい[*6]。そこで、この比例係数を**吸収線量率**と呼ぶ。つまり、

$$\text{(吸収線量率)} = \frac{\text{(吸収線量)}}{\text{(時間)}}$$

ということである。吸収線量率の単位はGy/s（グレイ毎秒）やGy/h（グレイ毎時）である。

■**実効線量の基本的な考え方**　本題である実効線量に話を移そう。まずは、ざっくりとしたところから。

目標は「被曝による体への影響」を表わす量を定義することである。それなら、体が吸収したエネルギーが使えそうだと期待するのは自然だ。吸収線量は有力候補になる。

まず、（これが物理学者の流儀なのだが）極端に単純化した状況を考えよう。

[*6] 厳密に言うと、同じ強さの同じ放射線を浴びていても、物質の種類によって吸収線量率は変わってくる。ただし、外部被曝で重要な 1 MeV 程度のエネルギーのガンマ線の場合、吸収線量や吸収線量率は物質の種類にはあまり依存しないことが知られている。

人が一定の時間、一様なガンマ線にさらされて被曝する。この際、（こんなことはあり得ないのだが）吸収線量が体の中のどの部分をとっても正確に等しかったとしよう*7。

このような「一様ガンマ線被曝」（これは、ぼくがここで作った言葉。正式の用語ではない！）の状況では、一定値をとる吸収線量が被曝量を特徴づける指標になる。この吸収線量を D と書こう。そして、この場合の実効線量 E は吸収線量 D に等しいと定義する。

中性子線などが飛んでいない「普通の」状況では、実際の外部被曝も、ごく大ざっぱには、「一様ガンマ線被曝」で近似できると思っていい。すると、**ガンマ線による外部被曝だけを扱う際には、実効線量 E は吸収線量 D に大ざっぱに等しいと考えていい**ことになる。

吸収線量の単位は Gy = J/kg だから実効線量の単位も Gy ということになるが、概念的な区別のために、実効線量には Sv（シーベルト）という単位を使う。「一様ガンマ線被曝」にかぎれば、Gy と Sv はまったく同じものである。

ICRP の定義の詳細に踏み込みたくない人は、（ガンマ線の外部被曝に限定するかぎり）上のように大ざっぱに理解していれば十分だと思う。

■**実効線量の厳密な定義の際に考慮すべきこと**　実効線量の正確な定義を述べる前に、現実的な状況では何が問題になるかをざっと見ておこう。

ガンマ線の外部被曝だけを考えるとしても、体のすべての部分での吸収線量が等しいということは一般にはあり得ない。当然、体の中でもガンマ線があたっている側の組織ほど多くのエネルギーを吸収する。また、たとえ同じ強度のガンマ線にさらされたとしても、厳密には、組織によって吸収するエネルギーは一般には異なる。

あるいは、内部被曝を考えれば、4.2 節（特に図 4.3）で見たように、放射性物質は体の中で複雑に分布するから、各々の組織が吸収するエネルギーは大き

---

*7　人が極端に薄くてガンマ線はほとんどすり抜けていき、かつ、すべての組織が同じようにガンマ線を吸収するという無茶な仮定をすればこうなる。

く異なることもある。

　そのように吸収線量が一様でないときには、体全体で平均化した吸収線量を考えればよさそうに思える。しかし、（ICRPによれば）話はそれほど単純ではない。組織によって放射線に対する敏感さが異なるからだ。敏感な組織での吸収線量が大きく鈍感な組織での吸収線量が小さい場合と、逆に、敏感な組織での吸収線量が小さく鈍感な組織での吸収線量が大きい場合とでは、たとえ平均した吸収線量が同じでも、前者のほうが体へのダメージが大きいことは明らかだ。つまり、体への影響を正確に評価するには、各々の組織での吸収線量を適切に加重平均する必要がある。

　ぼくたちにとっては外部被曝で問題になるのは、ほぼガンマ線だけだが、一般の被曝を扱うには、放射線の種類についても考慮する必要もある。

　以下では、これらの点を考慮して、ICRPがどのように実効線量を定義するかを見ていこう。

■**等価線量**　まず等価線量を定義することから始める。体の各々の部分が受ける線量である。等価線量を求めるには、上で書いたように「放射線の種類」を考慮する。

　体内の一つの組織（あるいは臓器）に注目する。組織の種類を（ICRPの書き方に従って）Tで表わす（Tは、胃、結腸、甲状腺、皮膚といった「値」をとる変数。Tはtissueの頭文字）。

　組織Tが、アルファ線、ガンマ線、ベータ線など、様々な種類の放射線を浴びる。放射線の種類を（ICRPの書き方に従って）Rで表わす（radiationの頭文字）。

　人が何らかの被曝をした際の、組織Tにおける放射線Rの吸収線量（単位質量あたりの吸収エネルギー）を $D_{T,R}$ と書く。吸収線量 $D_{T,R}$ を求めるのは実際には簡単ではない。そもそも、体の中の組織が吸収したエネルギーを体の外から測る方法はないので、$D_{T,R}$ は測定器で測れる実測値ではないのだ。外部被曝の場合は、計算機の中に作った人体のモデル（ファントムと呼ばれる）を使って、外からの放射線を各々の組織がどのように浴びるかのシミュレーションをする[*8]。内部被曝の場合は、動態モデルにもとづき、各々の組織がどれだけ被

放射線のタイプ	放射線加重係数 w_R
光子	1
電子とミュー粒子	1
陽子と荷電パイ中間子	2
アルファ粒子、核分裂片、重イオン	20
中性子	中性子エネルギーの連続関数

表 B.1 ICRP の 2007 年勧告（ICRP publ. 103）による放射線加重係数 w_R の勧告値。中性子線の w_R は省略した。

曝するかを計算する[*9]。いずれにせよ、吸収線量 $D_{T,R}$ のこのような評価は、ぼくたち素人の仕事ではなく、ICRP などが行なう計算だ。

単純にエネルギーだけを考えるなら、吸収線量 $D_{T,R}$ をすべての R について足した $\sum_R D_{T,R}$ が組織 T の全吸収線量になる[*10]。

生体への影響を評価する際には、ここで放射線の種類を考慮に入れる。たとえば、1 MeV 程度のエネルギーの中性子線を被曝すると、同じ吸収線量のガンマ線被曝に比べて、はるかに大きな健康影響があるとされている。このような効果を取り入れるため、各々の放射線 R に対して放射線加重係数 w_R が定義されている。w_R は、その放射線がガンマ線に比べて「どれくらい危険か」を表わす無次元の係数である。ガンマ線とベータ線については $w_R = 1$ であり、アルファ線については $w_R = 20$、中性子線の w_R はエネルギーに依存する値をとると定められている（表 B.1）。

組織 T における等価線量（equivalent dose）H_T とは、すべての放射線の種類 R についての吸収線量 $D_{T,R}$ を、放射線加重係数 w_R で重みづけて足し上げた

$$H_T = \sum_R w_R D_{T,R}$$

[*8] 計算結果は体の大きさなどに応じて変わってくる。そのため、厳密に言えば、たとえ同じ「強さ」の放射線を同じ時間浴びていたとしても、大人と子供では、個々の組織の吸収線量は異なり、その結果、外部被曝の実効線量も異なることになる。実際の放射線防護の現場でも、そのような年齢差はある程度は考慮されている。

[*9] ICRP の用いる動態モデルには、年齢差や性差の影響が考慮されている。ただし、実効線量（係数）の計算結果は男女の平均値であり、年齢差だけが考慮されている。

[*10] 注目している組織 T がたとえば胃なら、ここで考えている量は $D_{胃,アルファ線} + D_{胃,ベータ線} + D_{胃,ガンマ線} + ...$ である（他の放射線についての和を省略した）。

という量である*11。ガンマ線とベータ線だけを被曝するときには、$w_R = 1$ なので、等価線量 H_T は組織 T における吸収線量（単位質量あたりの吸収エネルギー）そのものである。アルファ線や中性子線のような「あぶない」放射線が寄与するときには等価線量 H_T はもはや物理的な意味を持つ量ではなく、危険度で重みづけられた実用的な量である。

放射線加重係数 w_R は無次元なので、等価線量 H_T の単位も Gy = J/kg ということになりそうだ。ただ、重みづけしたことを表わすため、等価線量 H_T の単位は Sv（シーベルト）とすることになっている*12。

等価線量は、通常は、実効線量の計算のために用いられる中間的な量で、表に出てくることはない。ほぼ唯一の例外はヨウ素 131 の内部被曝に関連する甲状腺等価線量である。これについては、実効線量を定義したあとで補足する。

■**実効線量**　各々の組織 T について「被曝量」を表わす等価線量 H_T が得られた。**等価線量を適切に「平均」して、体全体へのダメージの目安となる実効線量 E を求める**。体の様々な組織への非一様な被曝の影響をたった一つの量 E に集約しようというわけだ。

ここでの平均操作を行なう際には、あくまで被曝の健康への影響に注目する。そして、

（各々の組織 T が等価線量 H_T の被曝をした際の〔全身の〕健康への害）
　　＝（実効線量 E の「一様ガンマ線被曝」による健康への害）

という「等式」が成り立つように実効線量 E を定義するのである。

もちろん「健康への害」を数値的に表わすのは簡単なことではない。ICRP では、基本的には致死性の癌になるリスクを考え、それ以外にも（致死性でない癌になった後の）人生の質の低下の度合いなど様々な要因を考慮して「健康への害*13」を数値化している。

---

*11　これも具体的に書けば、$H_胃 = w_{アルファ線} \times D_{胃,アルファ線} + w_{ベータ線} \times D_{胃,ベータ線} + w_{ガンマ線} \times D_{胃,ガンマ線} + ...$ ということ。

*12　**理系読者向けの注意**：要するに、放射線加重係数 w_R の単位が Sv/Gy だということだが、普通は（何故か）そういう言い方はしない。

組織・臓器	w_T	$\sum w_T$
骨髄（赤色）、結腸、肺、胃、乳房、残りの組織* （14 組織への平均線量に適用される名目 w_T）	**0.12**	0.72
生殖腺	**0.08**	0.08
膀胱、食道、肝臓、甲状腺	**0.04**	0.16
骨表面、脳、唾液腺、皮膚	**0.01**	0.04

表 B.2 ICRP の 2007 年勧告（ICRP publ. 103）で提案された組織加重係数 w_T の値。
* 残りの組織（合計 14 組織）：副腎、胸郭外（ET）部位、胆嚢、心臓、腎臓、リンパ節、筋肉、口腔粘膜、膵臓、前立腺、小腸、脾臓、胸腺、子宮／子宮頸部

具体的には、実効線量は次のようにして計算する（なぜこれでうまくいくのかは、すぐ下で説明する）。

各々の組織 T について組織加重係数 w_T という（0 より大きく 1 未満の）量が定められている*14。w_T は、大ざっぱに言えば、全身への均等な被曝が（「健康への害」という意味で）各々の組織にどういう割合で「割り振られるか」を表わしている。よって、すべての組織についての w_T の和は 1 になる（表 B.2）。

実効線量 E とは、すべての組織 T についての等価線量 H_T を、組織加重係数 w_T で重みづけて足し上げた

$$E = \sum_T w_T H_T$$

という量である*15。組織加重係数 w_T の和が 1 だから、これは加重平均になっている。実効線量の単位は（等価線量の単位と同じ）シーベルト（Sv）である。

■**実効線量の実用的な見積もり方** 実効線量 E を定義通りに評価するためには、体の中でどのような被曝が生じているかを知る必要がある。もちろん、それを実測するのは不可能なので、実用的な見積もり方が用意されている。

---

*13 ICRP の文書では「損害（detriment）」という。
*14 組織加重係数は年齢などへの依存性のない普遍的な定数である。組織加重係数を決めるための「損害」についての疫学データには、年齢依存性があるわけだから、組織加重係数を「普遍定数」にしてしまうのはいささか大ざっぱなやり方だとぼくは思っている。
*15 つまり、$E = w_{胃} \times H_{胃} + w_{結腸} \times H_{結腸} + ...$ という風にすべての臓器についての和をとる。

外部被曝については、測定器で測れる周辺線量当量や個人線量当量といった「線量」が定義されている。これらの線量の定義はきわめて技術的でわかりにくいので、この本では触れない[*16]。そして、これらの観測可能な線量をもとにして、(年齢などに応じて) 実効線量を推定する方法が用意されている。通常の線量計は単位時間あたりの周辺線量当量を表示するように校正されており、実効線量当量の目安(上限になっていることが望ましいとされる)を与えてくれる。この本の本文では、こういった事情をふまえて、「外部被曝の実効線量は線量計で測れる量」という説明をしたのである。

内部被曝については、4.2 節(特に図 4.3)で概略を説明したように[*17]、動態モデルを用いて、体の各々の組織の吸収線量を求め、ここに説明したプロセスで実効線量を計算する。もちろん、ぼくたちがそういう計算をする必要はなく、計算結果は実効線量係数の表 (表 4.1, 4.2) として ICRP によってまとめられている。

■ **甲状腺等価線量について**　体内に入ったヨウ素はほとんどが甲状腺に集中する。そのため、ヨウ素 131 による内部被曝では、甲状腺の等価線量だけが有意に大きく、他の組織の等価線量は実質的にゼロとみなしていい。この場合、ヨウ素の内部被曝による実効線量への寄与は、甲状腺等価線量に(甲状腺の組織加重係数である) 0.04 をかけたものになる[*18]。

ヨウ素 131 による甲状腺への内部被曝を議論するときには、実効線量への寄与ではなく、甲状腺等価線量を用いるのが通例である。報道などで「甲状腺への被曝量が 20 ミリシーベルト」といった表現をするときも、それは「甲状腺等価線量が 20 mSv」という意味である。しかし、一般には、シーベルトの単位で表わされる量は「普通の被曝量(つまり、実効線量)」だと受け入れられているので、こういった情報が無用な混乱を生むことが少なくない[*19]。もちろん、

[*16]　こういった実用量の定義を定めているのは、ICRU (International Commission on Radiation Units and Measurement) という団体である。
[*17]　詳しくは、ぼくの解説「内部被ばくのリスク評価について」もご覧ください。http://www.gakushuin.ac.jp/~881791/housha/details/Internal.html
[*18]　0.04 は ICRP の 2007 年勧告 (ICRP publ. 103) での値。古い(そして、日本の法令等の基礎になっている) 1990 年勧告 (ICRP publ. 60) での甲状腺の組織加重係数は 0.05 だった。

甲状腺等価線量が 20 mSv の被曝が軽いというつもりはないが、これは実効線量に換算すれば 20 mSv × 0.04 = 0.8 mSv の被曝なのである[*20]。

■ **組織加重係数と実効線量の定義（理数系向き）** 様々な組織が非一様に被曝する状況を、たった一つの実効線量で表現できるというのは、一見すると不思議である。このようなことが可能なのは、実は「『健康への害』が等価線量に比例する」という線形性を仮定しているからだ。それがわかれば、トリックはほとんど自明だ。理数系の人を念頭に（ストーリーをぼく流に整理して）説明しよう。全身の組織に $i = 1, ..., n$ と番号を振っておく（先ほどは i ではなく T と書いたが、やはり、こちらの書き方のほうが気持ちがいい）。

再び「一様ガンマ線被曝」の状況を考え、（一定値をとる）吸収線量を D と書こう。この被曝によって生じる「健康への害」が αD と書けるとする。ここで、$\alpha > 0$ は比例係数[*21]。

同じ「一様ガンマ線被曝」の状況で、組織 i のみに関する「健康への害」が $\alpha_i D$ と書けるとしよう。もちろん、$\alpha_i > 0$ は別の比例係数。複数の組織が同時に癌などを発症することはないと仮定すれば、$\alpha = \sum_i \alpha_i$ としていい。これらの量を使って、組織加重係数を $w_i = \alpha_i / \alpha$ と定義しておく。

次に、各々の組織が異なった等価線量を被曝するという一般の状況を考える。組織 i が受けた等価線量を H_i とする。

このとき、組織 i に関する「健康への害」は、上の関係をそのまま使って、$\alpha_i H_i$ に等しいとするのがもっともらしい。よって、この人の全体としての「健康への害」は、すべての組織からの寄与を足しあげた $\sum_i \alpha_i H_i$ である。ここで $\alpha_i = \alpha w_i$ と書けることを思い出せば、

$$\sum_i \alpha_i H_i = \alpha \sum_i w_i H_i = \alpha E$$

[*19] そもそも等価線量と実効線量を同じ単位で表わしていることに混乱の源（みなもと）があると思う。
[*20] この 0.8 mSv という実効線量によってどこまで正確に内部被曝のリスクが表現されているかは、デリケートな問題である。4.2 節での関連する議論を見よ。
[*21] もちろん、これは「（自然被曝以外に）生涯で通算 100 ミリシーベルトを被曝すると癌で死亡するリスク（確率）が 0.5 パーセント上乗せされる」という「公式の考え」に対応する。

と書き直すことができる。ここで、$E = \sum_i w_i H_i$ が実効線量である。よって、目標だった「等式」

(各々の組織 T が等価線量 H_T の被曝をした際の（全身の）健康への害)
　　　＝ (実効線量 E の「一様ガンマ線被曝」による健康への害)

が成り立っていることがわかる。

B.3　ベクレルからモル、グラムへの換算

ベクレルは放射性物質の量を表わす単位だから、モルやグラムのような通常の物質量の単位に換算できる。

ある放射性核種について、秒の単位で表わした半減期を τ、質量数を A としよう。すると、この放射性核種 1 Bq は、モル数

$$n_B \fallingdotseq 2.40 \times 10^{-24} \times \tau \text{ モル}$$

に対応し[*22]、また、質量

$$m_B \fallingdotseq 2.40 \times 10^{-24} \times \tau \times A \text{ g}$$

に対応する。

セシウム 137 の質量数は $A = 137$ で、半減期 30 年を秒で表わすと $\tau \fallingdotseq 30 \times 365 \times 24 \times 60^2 \fallingdotseq 9.46 \times 10^8$ である。よって、1 Bq のセシウム 137 の質量は $m_B \fallingdotseq 3.1 \times 10^{-13}$ g である。ピコグラムのオーダーだ。

たとえば、2012 年 3 月以前の牛肉中の放射性セシウムの暫定基準は 1 kg あたり 500 Bq だった。500 Bq というのは、わずか 1.6×10^{-10} g に相当することになる。あるいは、福島第一原子力発電所から放出されたセシウム 137 の総量は（まだ確定していないが）1.5×10^{16} Bq 程度と推測されている[*23]。これも

[*22]　導出については、ぼくの解説「半減期の数学・ベクレルとモル数」をご覧ください。http://www.gakushuin.ac.jp/~881791/housha/details/halflife.html
[*23]　G. Brumfiel, Nature **478**, 435–436 (2011)

質量にすれば5 kg程度である。もちろん、だからと言って影響が小さいと言っているわけではない。放射性物質というのは、ごくごく少量でもきわめて甚大な影響を持つということだ。

一方、放射性のカリウム40の半減期は12億8千万年である。よって $A = 40, \tau \fallingdotseq 1.28 \times 10^9 \times 365 \times 24 \times 60^2 \fallingdotseq 4.0 \times 10^{16}$ を代入すると、1 Bqの質量は $m_\mathrm{B} \fallingdotseq 3.9 \times 10^{-6}$ gとわかる。半減期が長いことを反映して、この場合の m_B はマイクログラムのオーダーになる。

これをもとに計算すれば、4000 Bqのセシウム137は 1.2×10^{-9} gであり、4000 Bqのカリウム40は0.015 gであることがわかる。これが2.3節で紹介した結果である。

B.4　セシウム134とセシウム137の放射能強度比

セシウム137とセシウム134は、福島第一原子力発電所から放出され、あたりにまき散らされ、未だに地面にしっかりと付着している。同じところから来た同じセシウムなのだが、その由来は随分とちがう。

セシウム137はウランの核分裂で生まれる核分裂生成物である。一方、セシウム134はウランの核分裂では出てこない。だから、原子爆弾が爆発した後に残る放射性物質には、セシウム137は含まれているが、セシウム134は含まれていない。

セシウム134が出てくる理由は以下のとおり。ウランが核分裂すると、半減期5日の不安定なキセノン133が生まれる。キセノン133は崩壊して安定なセシウム133になる。このセシウム133が原子炉の核燃料の中に置かれていると、核分裂の際に出てくる中性子を捕獲してセシウム134になるのだ。だから、セシウム134の量は、原子炉がどれくらいの期間運転していたか、あるいは、使用済み核燃料がどれくらいの期間使用されていたかを反映する。

一般に、原子炉から出てくるセシウム134とセシウム137の放射能強度比、つまり

$$r = \frac{(\text{ベクレルで表わしたセシウム134の量})}{(\text{ベクレルで表わしたセシウム137の量})}$$

経過年数	0	0.5	1	1.5	2	2.5	3	3.5	4
放射能強度比	1	0.85	0.73	0.62	0.53	0.46	0.39	0.33	0.29

表 B.3　セシウム 134 とセシウム 137 の放射能強度比 r の事故後の変化。

は、0.4 から 1.5 の範囲に入るとされる。チェルノブイリの場合、r は 0.55 程度だった。

　今回の福島原発の事故で放出されたセシウムの場合、放射能強度比 r は、（放出直後には）ほぼ 1 に等しかったようだ。土壌の調査でも、海水の調査でも、ほぼ 1 という結果が出ている[*24]（降下量のデータについては、84 ページの図 5.1 を参照）。セシウム 137 とセシウム 134 はいったん放出されればまったく同じように拡散していくはずだから、これは、もともとの汚染源（核燃料、あるいは、使用済み核燃料）での存在比をそのまま反映していると考えられる。

　セシウム 134 の半減期は 2 年、セシウム 137 の半減期は 30 年なので、セシウム 134 のほうが速く減っていく。そのため、放射能強度比 r は、時間が経てばだんだん減っていくことになる。

　表 B.3 に、事故からの経過年数にともなって放射能強度比 r がどのように変化していくかを計算した結果を示した。本文で、放射性セシウムに関する計算をする際には、この結果を利用している。

[*24]　なお、r が 1 に近いからといって、普通の意味で両者が「同じだけある」のではない。r が 1 なら、モル数や質量で測れば、セシウム 137 はセシウム 134 の約 15 倍ある。

索引

10 のべき乗 ··················· 123
ALARA 原則 ··················· 69
Bq ··························· 15
Bq/kg ···················· 17, 101
Bq/m² ····················· 16, 82
DDREF ······················· 66
DNA ························· 56
eV ················ 10, 13, 24, 28, 122
Gy ························· 134
ICRP ············ 48, 61, 67, 68, 102, 132
ICRU ······················· 140
IQ の低下 ···················· 79
J ······················· 10, 121
JCO ························· 54
kBq/m² ····················· 16, 82
LSS ··················· 59, 64, 78, 132
MBq/km² ···················· 82
MeV ······················· 122
mSv ························· 43
μSv ························· 43
μSv/h ····················· 22, 44
Sv ···················· 42, 138, 139
WBC ···················· 100, 111
WHO ······················· 114
X 線 ············· 22, 38, 52, 61, 67, 80

■あ
アポトーシス ················ 57
雨 ··························· 88
アルファ線 ········ 11, 17, 21, 38, 40, 136
アルファ粒子 ················ 21
一様ガンマ線被曝 ············ 135
医療被曝 ····················· 51
ウクライナ ················ 39, 114
宇宙線 ·················· 23, 52, 87
ウラン ······················ 28
疫学 ···················· 59, 65, 131
エネルギー ········ 10, 13, 20, 24, 27, 28, 55, 121
エレクトロン・ボルト ······ 10, 13, 24, 28, 122
汚染密度 ············· 16, 82, 83, 88
　　空間線量率と── ········ 89

■か
ガイガーカウンター ········· 22, 44

外部被曝 ················ 38, 44, 92
化学結合 ····················· 9
化学反応 ····················· 9
核実験 ··················· 84, 112
核種 ························· 12
核燃料 ············ 29, 30, 32, 34, 144
　　使用済み── ········· 34, 144
核爆発実験 ················ 84, 112
核分裂 ······················ 28
核分裂生成物 ············· 31, 143
確率 ·············· 18, 54, 62, 72, 131
花崗岩 ······················ 51
加重平均 ················ 136, 139
過剰絶対リスク ············· 132
過剰相対リスク ············· 132
活性酸素 ···················· 56
ガラスバッジ ················ 92
カリウム ········· 16, 23, 39, 104, 143
癌 ······················· 54, 57
　　──の発症率 ············ 58
換算
　　シーベルト、ミリシーベルト、
　　　マイクロシーベルトの── ··· 43
　　ベクレルからグラムへの── ··· 142
　　ベクレルからモルへの── ··· 142
　　ベクレル毎平米と
　　　キロベクレル毎平米の── ··· 82
ガンマ線 ··········· 13, 14, 17, 21, 24,
　　　38, 40, 44, 55, 66, 87, 89, 122, 133, 136
希ガス ······················ 33
基準
　　被曝線量の── ············ 69
キセノン ············ 17, 33, 38, 143
気にする自由 ············ 77, 119
キノコ ················ 50, 95, 99
吸収線量 ··················· 134
吸収線量率 ················· 134
キロベクレル毎平米 ········ 16, 82
緊急時被曝状況 ············· 70
空間線量 ················ 22, 44, 87
空間線量率 ············ 22, 44, 87, 88
　　──と地面の汚染密度 ······ 89
クジ引き ···················· 73
グレイ ····················· 134
警戒区域 ····················· 2
原子 ························· 7

原子核 ……………………………………… 8, 11
　──の崩壊 ……………… 13, 18, 24, 31, 81, 88
　　安定な── ……………………………… 12
　　不安定な── …………………………… 13, 31
原子爆弾 ………………………… 29, 32, 59, 143
原子番号 ……………………………………… 8, 12
原子力発電 …………………………………… 30
原子炉 ………………………………………… 29, 32
元素 …………………………………………… 8, 105
　　放射性同位── ………………………… 14
元素記号 ……………………………………… 8, 12
現存被曝状況 ………………………………… 70
ゴイアニア …………………………………… 104
降下量
　セシウムの── …………………………… 83
光子 …………………………………………… 13, 23
甲状腺 ………………………………………… 39, 114
甲状腺等価線量 ……………………… 53, 138, 140
甲状腺への被曝量 …………………… 53, 138, 140
厚生労働省 …………………………………… 101
高線量地域 …………………………………… 53
校庭 …………………………………………… 93
国際放射線防護委員会
　………………………… 48, 61, 67, 68, 102, 132
個人差 ………………………………………… 75, 76
個人積算線量計 ……………………………… 92
個人線量当量 ………………………………… 140

■さ
再浮遊 ………………………………………… 95
再臨界 ………………………………………… 34
参考レベル …………………………………… 70
暫定基準 ……………………………………… 50, 142
シーベルト ………………………… 42, 138, 139
閾値 …………………………………………… 66
自然被曝 ……………………………… 50, 62, 68
自然放射線被曝 ……………………… 50, 62, 68
実効線量 ……………………………… 42, 102, 135, 139
　　──の見積もり ………………………… 139
　　外部被曝の── ………………………… 44, 92
　　内部被曝の── ………………………… 45, 102
実効線量係数 ………………………… 48, 102, 140
質量数 ………………………………………… 12, 142
地面の汚染密度 ……………………………… 83
　　空間線量率と── ……………………… 89
遮蔽 …………………………………………… 21, 86
周辺線量当量 ………………………………… 140

ジュール ……………………………………… 10, 121
寿命調査 ……………………………… 59, 78, 132
循環注水冷却 ………………………………… 34
使用済み核燃料 ……………………………… 34, 144
食事 …………………………………………… 111
食品 …………………………………………… 101
除染 …………………………………… 86, 93, 96
除染支援 ……………………………………… 93
新宿 …………………………………………… 83, 85
シンチレーションカウンター …………… 22, 44
水素爆発 ……………………………………… 9, 32
ストロンチウム ……………………………… 17, 28
制御棒 ………………………………………… 31
生体分子 ……………………………… 23, 41, 48, 56
世界保健機関 ………………………………… 114
セシウム ………………… 12, 16, 17, 19, 28, 33,
　　　　　　38, 40, 41, 50, 81, 100, 103, 142, 143
　　──の降下量 …………………………… 83
　　──の放出量 …………………………… 142
セシウム134とセシウム137 ……………… 143
線形閾値なし仮説 ……………………… 64, 69
線源 …………………………………………… 20
線量 ………………………………… 22, 42, 44, 87
線量計 ……………………………… 22, 44, 140
線量・線量率効果係数 ……………………… 66
線量当量 ……………………………………… 140
線量率 ……………………………… 22, 44, 87
組織加重係数 ………………………………… 139
外遊び ………………………………………… 95
損害 …………………………………………… 139

■た
胎児 …………………………………………… 79
正しく怖がる ………………………………… 118
チェルノブイリ …… 39, 85, 100, 104, 111, 114
中性子 ………………………………………… 11, 28
中性子線 …………………………… 20, 30, 66, 137
抽選 …………………………………………… 73
超ウラン元素 ………………………………… 31
直線閾値なし ………………………………… 65
強さ
　放射線の── ……………………… 22, 44, 87
デオキシリボ核酸 …………………………… 56
電子 …………………………………………… 8
電子ボルト ………………………… 10, 13, 24, 28, 122
電離作用 ……………………………… 20, 38, 41, 56
ドイツ ………………………………………… 100

東海村 ……………………………………… 54
等価線量 ……………………… 47, 53, 136
動態 ………………………………………… 46
動態モデル …………………………… 47, 106
トナカイ ………………………………… 104
■な
内部被曝 ……………… 23, 39, 45, 53, 100, 102
内部被曝検診 …………………………… 111
長崎 ………………………………… 59, 64
浪江町 ………………………………………… 2
妊婦 ………………………………… 79, 92
粘土鉱物 ………………………………… 81
燃料棒 ………………………………… 32, 36
■は
胚 ………………………………………… 79
半減期 ……………………………… 17, 142
飛距離
　放射線の── ……………………… 20, 38
飛行機 …………………………… 52, 67, 69
ビスマス …………………………………… 88
微生物 ……………………………………… 26
ひたちなか市 …………………………… 83
被曝 ………………………………………… 37
被曝線量 …………………………………… 42
被曝線量の基準 ………………………… 69
被曝量 ……………………………………… 42
標準人 ……………………………………… 68
広島 ………………………………… 59, 64
双葉郡 ……………………………………… 83
ブラジル ………………………………… 104
プルトニウム ……………………… 17, 41
分子 ………………………………………… 9
平均的個人 ……………………………… 68
平衡量
　放射性セシウムの── …………… 105
平米 ……………………………………… 16
ベータ線 … 13, 14, 17, 21, 24, 38, 40, 87, 136
べき乗 …………………………………… 123
ベクレル ……………………………… 15, 108
ベクレルからモル、グラムへの換算 … 142
ベクレル毎キログラム ………… 17, 101
ベクレル毎平米 ………………………… 16, 82
ベラルーシ ………………………………… 39
崩壊 ………………………… 13, 18, 24, 31, 81, 88
崩壊熱 ………………………………… 31, 32
放射性同位元素 ………………………… 14

放射性廃棄物 …………………………… 31
放射性物質 ……………………… 15, 81
　自然の── ……………………………… 23
　人工の── ……………………………… 23
放射線 …………………………… 13, 14, 19
　──の強さ ……………………… 22, 44, 87
　──の飛距離 ………………………… 20, 38
　原子力発電と── ……………………… 30
　自然の── ……………………………… 23
　人工の── ……………………………… 23
放射線加重係数 ………………………… 137
放射線管理区域 ………………………… 82, 90
放射線源 …………………………………… 20
放射能強度比 …………………………… 143
放出量
　セシウムの── ……………………… 142
ホール・ボディー・カウンター …… 100, 111
ホットスポット ………………………… 83
ポロニウム ………………………………… 51
■ま
マイクロシーベルト …………………… 43
マイクロシーベルト毎時 ………… 22, 44
マスク ……………………………………… 95
御影石 ……………………………………… 51
南相馬 ………………………………… 92, 111
ミリシーベルト ………………………… 43
メガ・エレクトロン・ボルト ……… 122
メルトダウン …………………………… 32
■や
野外活動 …………………………………… 94
有効数字 ………………………………… 128
陽子 ………………………………………… 11
ヨウ素 …………………………… 12, 17, 28,
　　　　　33, 34, 38, 39, 50, 53, 81, 114, 140
預託実効線量 …………………………… 47, 103
■ら
ラドン ……………………………… 17, 23, 39
リスク …………………………… 62, 73, 131
量子力学 ……………………………… 8, 11, 18
臨界 ………………………………………… 29
冷温停止状態 …………………………… 35
連鎖反応 …………………………………… 28
レントゲン ………………… 22, 38, 52, 61, 67, 80
ロシア ……………………………………… 39
炉心溶融 …………………………………… 32

田崎晴明（たざき・はるあき）

理論物理学者、学習院大学理学部教授

1986年東京大学大学院理学系研究科博士課程修了。米国プリンストン大学講師、学習院大学助教授等を経て1999年より現職。1997年「量子多体系の数理物理学的研究」で第1回久保亮五記念賞を受賞。研究以外では、見通しのよい現代的な教科書『熱力学』、『統計力学 I, II』の著者として知られている。ポストモダン哲学における科学の濫用を批判した『「知」の欺瞞』の翻訳も手がけた。
http://www.gakushuin.ac.jp/~881791/halJ.htm

やっかいな放射線と向き合って暮らしていくための基礎知識

2012年10月11日　初版第1刷発行

著者	田崎晴明
イラスト	長崎訓子
装幀+図版制作	米倉英弘（細山田デザイン事務所）
本文DTP	中村大吾（éditions azert）
編集協力	横戸宏紀
編集	赤井茂樹（朝日出版社第二編集部）
発行者	原　雅久
発行所	株式会社朝日出版社
	〒101-0065　東京都千代田区西神田 3-3-5
	電話 03-3263-3321 ／ ファックス 03-5226-9599
	http://www.asahipress.com/
印刷・製本	図書印刷株式会社

© Hal Tasaki 2012　　Printed in Japan
ISBN978-4-255-00676-5　C0095

乱丁・落丁の本がございましたら小社宛にお送りください。送料小社負担でお取り替えいたします。本書の全部または一部を無断で複写複製（コピー）することは、著作権法上での例外を除き、禁じられています。